JN183716

ロラン・バルト　喪の日記

石川美子訳

みすず書房

JOURNAL DE DEUIL

26 octobre 1977-15 septembre 1979

by

Roland Barthes

Texte établi et annoté
par Nathalie Léger

First published by Editions du Seuil / IMEC, 2009

目次

まえがき　iii

喪の日記

喪の日記　一九七七年一〇月二六日――一九七八年六月二一日　3

日記のつづき　一九七八年六月二四日――一九七八年一〇月二五日　157

(新たなつづき)　一九七八年一〇月二六日――一九七九年九月一五日　215

日付のない断章　249

マムについてのメモ　257

訳註・解説　271

まえがき

ロラン・バルト（一九一五〜八〇）の批評は、めまぐるしく変化していった。文学言語を論じた『零度のエクリチュール』にはじまって、ファッションの記号学的分析である『モードの体系』、日本を語った『記号の国』、愛の言葉をめぐる『恋愛のディスクール』など、彼は著作ごとに対象と方法とを鮮明にかえていった。その変貌はめくるめくものであったが、しかしバルトがいわゆる批評活動をつづけていたことにかわりはなかった。彼は魅力的な批評家でありつづけた。

ところが晩年になって、それまでにない変化をみせることになる。批評活動をはなれて、小説作品を書くという「新たな生」を希求するようになったのである。そうした大転換の背景には、彼の母の死というできごとが深くかかわっていた。

バルトは、その生涯を母アンリエットとともに暮らした。肺結核の治療のために学生サナトリウムですごした約五年間と、アレクサンドリア大学やモロッコのラバト大学で教えた二年弱をのぞいては、バルトが母のもとを離れたのは短期間の旅行のあいだにすぎなかった。とりわけ一九七六年からは、老いて体力のおとろえた母が暮らしやすいようにと小ぶりのアパルトマンに引っ越して、ふたりきりで寄りそうように暮らしていた。だが、その母が一九七七年一〇月二五日に亡くなる。その死は、たんなる悲しみをこえた絶望的な思いをバルトにもたらした。残酷な喪のなかで、彼は日記を書きはじめたのである。

日記は、ノートではなく小さなカードに書かれていった。日ごとに断片的な文がしるされてゆく。一日に何枚ものカードが書かれることもあれば、何日間もまったく書かれないこともあった。日記は母の死の翌日である一九七七年一〇月二六日に書きはじめられ、七九年九月一五日に突然に終えられている。二年近くのあいだに書かれたカードは三二〇枚にのぼり、バルト自身によって五つに分けられ、『喪の日記』と名づけられたのだった。

母の死によってバルトが深い悲嘆におちいったのは、彼がずっと母とともに暮らしていたからだけではなかった。バルト自身、『明るい部屋』のなかでつぎのように書いている。「わたしが生涯を母とともに暮らしたから悲しみもいっそう大きいのだと、人はかならず思いたがる。だがわたしの悲しみは、母があのようなひとであったことから来ているのだ。あのようなひとであったからこそ、わたしは母とともに暮らしたのだ」と。晩年の友人エリック・マルティもまた、バルトをめぐるエッセー「ある友情の思い出」のなかでつぎのように語っている。「バルトはひとりの女性を愛し敬うように母親を敬愛しているという印象をわたしは抱いていた。それほどまでに母親を愛するのは、彼女が女性としてそれに値するからであった」と。母アンリエットは、バルトにとって、ただひとりの愛する女性、人生のただひとりのパートナーだったのである。
そのような存在を失ったバルトは、暗い喪のなかで、言葉にすがりつくようにして日記を書きはじめた。喪の苦悩が発作のように断続的におとずれて、取り乱した断片的な文章を書きなぐるしかないこともあった。自殺への思いをしるすこともあった。だが彼は日記をやめなかった。自分が悲しみにたえられるのは、「そのことを語り、文にすることができるからだ」と知っていた。「わたしの悲しみは説明できないが、それでも語ることはできるのだ」と（七八年八月一日の日記より）。

とぎれとぎれの言葉が、すこしずつかたちをなして、ひとつの作品の輪郭をえがきはじめるのが日記からかいまみられる。そうして、母の写真をめぐる作品『明るい部屋』が生まれたのだった。言葉のほうに身をかがめているうちに、不毛な喪は、作品を生みだす時間となったのである。やがて、母のことを語る小説もまた、苦しみのなかから紡ぎだされようとしていた。
『喪の日記』は、最晩年のバルトがのこした苦悩の刻跡であり、愛するひとを失った者が「新たな生」をはじめようとする懸命の物語でもある。そこから浮かびあがってくるのは、言葉で生かされている者が言葉にすがって立ち上がろうとする静やかなすがたなのである。

［石川美子］

喪の日記

喪の日記

一九七七年一〇月二六日――一九七八年六月二一日

一九七七年一〇月二六日

新婚初夜という。

では、はじめての喪の夜は？

一〇月二七日

「あなたは女性のからだを知らないのですね！」

「わたしは、病気の母の、そして死にゆく母のからだを知っています。」

一〇月二七日

毎朝六時半ごろ、外はまだ暗いけれど、がたごととゴミ箱を出す音がする。

彼女はほっとして言ったものだ。やっと夜が明けたのね。(夜中に彼女はひとりで苦しんでいた。むごいことだ。)

ひとりの人間が死ぬと、狂ったように未来の設計をはじめるものだ（家具の配置を変えることなど）。未来中毒症。

一〇月二七日

もしかしたら、たぶんこれらのメモには、たいせつなことが少しは書かれているのではないだろうか？

一〇月二七日

――SS[1]が言う。「ぼくがきみのことを引き受けるよ。静かに生活できるようにしてあげるからね。」

――RH[2]が言う。「六か月前からきみが落ちこんでいたのは、きみにはわかっていたからだね。死別の悲しみ、鬱状態、喪の作業などがくることが。――でも、そういうことがひそかにわかっていて、もう習慣のようになっているのだから。」

いらだち。そうじゃない、喪（鬱状態）とは、病気とはかなり違うものなのだ。わたしが何から癒えることを彼らは望んでいるのだろうか。どういう状態に、どういう生活になることを？喪の作業があるとしても、生みだされるのは、特徴のない存在ではなく、精神的な存在であり、価値の――同化ではなく――主体であるというのに。

一〇月二七日

不死ということ。「わたしにはわからない」というあの奇妙で懐疑的な態度をいまだかつて耳にしたことがない。

一〇月二七日

喪の悲しみの強さがどのくらいなのかと、みんなが推測している——と感じる——。だが、どの程度であるかを測ることは不可能である（目にみえる症状はごくわずかだし、矛盾しているからだ）。

一〇月二七日

――「もうけっしてない、もうけっして！」

――そうは言うけれど、矛盾していますよ。この「もうけっしてない」は、いつまでも続くものではありません。あなた自身もいつか死ぬのですから。
「もうけっしてない」とは、死なない人のいう言葉なのだ。

一〇月二七日

あまりにもたくさんの人がたずねてくる。無意味なことがふえて、避けられない。かたわらに横たわる彼女のことを考える。すべてが崩れてゆく。

このとき、重くて長い喪が厳粛にはじまったのである。

この二日間ではじめて、自分自身の死を受け入れられる、という思いがした。[3]

一〇月二八日

マムの遺体をはこんでゆく。パリからユルトへ[4]（JLと搬送業者がいっしょだ）。ソリニー[5]（トゥールをすぎたところ）で、昼食をとるためにごく小さな大衆的カフェに立ち寄る。搬送業者は、そこで偶然に「仲間」（オート＝ヴィエンヌに遺体をはこんでいる）に会い、いっしょに昼食をとる。わたしはジャン＝ルイと、広場（おぞましい死者記念碑がある）のほうにすこし歩く。踏み固められた地面、雨のにおい、うらぶれた田舎。とはいえ、生活意欲がおこるように（雨のやわらかな匂いのせいで）、まったくはじめて、意気沮喪を感じた。ごくみじかい痙攣のように。

一〇月二九日

――奇妙なことだ。あれほどよく知っていた彼女の声が聞こえてこない。思い出のきめそのもの[7]のだと言われる彼女の声が(「あのなつかしい語り口……」)。局所的難聴のように……。

一〇月二九日

「彼女はもう苦しんでいないのだから」という文で、「彼女」とは何を、誰をさしているのか？　この現在形はどういうことなのか？

一〇月二九日

わたしにとって彼女は「すべて」ではなかったという思い——愕然とさせられるが、嘆かわしいものではない——。そうでなければ、わたしは作品を書くことはなかっただろうから。彼女の看病をするようになってからは、つまりこの六か月間は、たしかに彼女はわたしの「すべて」となり、自分がそれまでは書いていたということをすっかり忘れていた。わたしは完全に彼女のものでしかなくなっていた。そうなるまえは、わたしが書くことができるようにと、彼女は透明になっていたのであるが。

一〇月二九日

これらのメモを書きとめながら、わたしは自分のなかの平凡さに身をゆだねている。

一〇月二九日

彼女の死のまえに（彼女が病気だったあいだに）わたしが望んでいたことは、もはや実現されえなくなっている。というのは、実現されるとしたら、彼女の死によって実現が可能になる――ある意味で、彼女の死によってわたしの望みが解放されうる――ということになるだろうからだ。だが、彼女の死はわたしを変えてしまった。わたしは、かつて望んでいたことをもはや望んではいない。新たな望みが生じるのを――生じると仮定して――待たねばならない。彼女の死にもとづいた望みが生じるのを。

一〇月二九日

喪の尺度。

（ラルース「メメント」[8]によると）父や母の喪は一八か月。

一〇月三〇日

ユルトにて。悲しくて、おだやかで、深遠である（いらだちはない）。

一〇月三〇日

……この死が、わたしを完全に壊したりしないとよいのだが。そのことが意味するのは、つまり、わたしは狂ったように、狂おしく、生きてゆきたい、ということである。したがって、わたし自身の死の恐怖はつねに存在しており、すこしも転じられてはいない、ということだ。

一〇月三〇日

たくさんの人が、今なおわたしを好いてくれる。だが、これからは、わたしが死んでも、そのことで誰も死んだりはしないだろう。

——そしてそれが新しいことなのだ。

（だがミシェル[9]は？）

一〇月三一日

わたしがそのことを語りたくないのは、文学をやってしまうのを恐れている——あるいは、文学になったりしないという確信がない——からである。実際には、そのような真実から、文学は生じるのであるけれども。

一〇月三一日

月曜日午後三時。——はじめてひとりでアパルトマンに帰った。ここで、たったひとりで、どのように生きてゆけるのだろうか。だが同時に、かわりの場所などまったくないことも明らかなのに。

一〇月三一日

わたしのなかの一部分は、絶望のなかで夜を明かしている。同時に、べつの部分は、もっともくだらない雑用を頭のなかで片づけようとせわしなくしている。そうしたことをわたしは病のように感じている。

一〇月三一日

ときおり、ごく短いあいだ、空白の——無感覚のような——一瞬がある。ふとぼんやりする、というのではない。それが恐ろしい。

一〇月三一日

今までにない奇妙な鋭さをもって、人びとの醜さや美しさを（街路で）ながめてしまう。

一一月一日

わたしをもっとも苦しめるのは、まだら状の喪である――多発性硬化症[10]のような。

［すなわち、深くはないということだ。表面のいくつかのまだら――いやむしろ、それぞれのまだらが全面をおおっている。いくつものかたまり。］

一一月一日

わたしが「ぼんやりと」して（話したり、必要があれば冗談を言ったりして）——そして冷淡であるかのようにして——いると、そのあと急に、涙の出るほどたえがたい感情があらわれる。

意味の決定不可能性。わたしは無感情なのでもなければ、外にあらわれる女性的な（「表面的な」）——「ほんとうの」苦悩という深刻なイメージとは反対の——涙もろさをつい見せてしまうのでもないと言うことができる。——ふかく絶望しつつも、本心を隠して自分のまわりを暗くさせないために闘っているのだが、ときおり、そうできなくなって「ぽきりと折れて」しまうのである。

一一月二日

これらのメモで驚かされるのは、平静さをよそおう荒廃した主体だということである。

一一月二日

(マルコといっしょの夜)

わたしの喪は混沌としたものになるだろうと、ようやくわかった。

一一月三日

一方では、彼女はわたしに、すべてを、まったき喪を、彼女の絶対性を求めてくる（すると、わたしにそう求める権限を彼女にあたえているのは、彼女ではなくわたしだということになる）。そして他方では、彼女は（こんどはほんとうに彼女自身が）軽やかさや生をわたしに勧めてくる。「さあ、出かけて、気晴らしをなさいな……」と、いまなお言っているかのように。

一一月四日

けさ、喪における軽やかさのすすめについて考えたり、感じたりしたこと。エリック[11]が、きょう、プルーストの本でそのことを（「語り手」と祖母の会話で）読み返したばかりです、と言う。

一一月四日

ゆうべ、はじめて、彼女の夢をみた。彼女は横になっていたが、ぜんぜん病気ではなかった。ユニプリ[12]のばら色のネグリジェを着ていた……。

一一月四日

きょう、夕方五時ごろ、すべてがほぼ片づいた。どうしようもない孤独がある。くすんでいて、これからはわたし自身の死以外に終わりようのない孤独が。

のどがつまったような感じがする。お茶を一杯入れるのにも、ちょっとした手紙を書くのにも、心の混乱はひどくなる。ものを片づけるのもそうだ――ぞっとすることだが、「自分のもの」であるアパルトマンが片づくのをよろこんでいるかのような気がするのだ。だが、そのよろこびは、わたしの絶望に貼りついている。

そうしたことすべてが、いかなる作業からも離脱することを決定する。

一一月四日

夕方六時ごろ。アパルトマンは暖かで、心地よく、陽があたって、清潔である。わたしがそのようにしているのだ。懸命に、献身的に（つらい思いでそれを楽しんでいる）。これからは、そしていつまでも、わたし自身が自分の母親になるのだから。

一一月五日

悲しい午後。ちょっとした買い物。菓子屋に行って（意味のないことだが）、フィナンシエ[13]を買う。小柄な女店員が、ひとりの女客の相手をしながら、ほらね、と言う。それは、わたしがママンの看病をしていたころ、彼女になにかを持っていくときに口にしていた言葉だ。最期が近づいたあるとき、彼女はなかば無意識に、ほらねとわたしの言葉をくりかえした（わたしたちは生涯ずっと、わたしはここにいるよ、と互いに言いあっていた）。

——女店員の言葉を聞いて、目に涙がうかんでくる。（声が外にもれないアパルトマンに帰って）長いあいだ泣く。

——こうして、自分の喪を明確にとらえられるようになった。

喪は、直接的に孤独や経験などのなかにあるのではない。喪にあっても、わたしにはくつろぎや自制のようなものがあるので、ほかの人たちは、思ったほどはわたしは苦しんでいないのだと考えるにちがいない。喪とは、愛の関係や「わたしたちが愛し合っていたこと」がさらに引き裂かれるときなのだ。もっとも抽象的なものにおける、もっとも焼きつく痛みをあたえるもの……。

一一月六日

日曜日の朝のやわらかさ。たったひとり。彼女のいない、はじめての日曜日の朝。曜日がめぐっていることを感じる。彼女のいない、長く続いてゆく時間に、わたしは立ち向かっている。

一一月六日

（きのう）いろいろなことがわかった。わたしの気持ちを高めるもの（身を落ち着けることや、アパルトマンの快適さ、友人たちとおしゃべりをし、ときには笑ったりさえすること、さまざまな計画をたてることなど）は重要ではないのだ、と。

わたしの喪とは、愛情にみちた関係の喪であって、人生設計の喪ではない。わたしの頭にうかぶ（愛の）言葉によって生じているのだから……。

一一月九日

喪のなかをどうにかこうにか進んでいる。

たえず、変わることなく、焼きつく痛みをあたえるものがもどってくる。彼女が苦しい息のもとで言った言葉が。わたしを飲みこんでゆく苦悩の抽象的で恐ろしい火床だ（「わたしのロラン、わたしのロラン」——「ここにいるよ」——「すわりごこちが悪そうだわ」）。

——純粋な喪は、生活の変化や孤独といったものからは何の恩恵もうけない。愛情にみちた関係の縞状になった傷、裂孔なのだから。

——だんだんとものを書かなくなり、話さなくなる。あのことしか（だがそれを誰にも言うことができない）。

一一月一〇日

「がんばって」と人は言う。だが、がんばるときとは、彼女が病気で、わたしが彼女の苦痛や悲嘆を見ながら看病をしていて、そして気づかれないように泣かねばならなかったときである。そのつど、決断や容態を受けとめねばならなかった。それが、がんばるということだ。——今では、がんばるとは、生きたいと望むという意味になっているらしい。それなら、ほかの人たちは充分すぎるほどもっている。

一一月一〇日

不在ということの抽象的な性質に衝撃をうけている。とはいえ、焼きつく痛みや、激しい苦しみをあたえるものなのだ。そのことから、抽象概念をよりよく理解するようになった。抽象概念とは、不在と苦悩、不在の苦悩である。——したがって、おそらくは愛なのではないか？

一一月一〇日

困惑し、ほとんど罪悪感さえかんじる。なぜなら、わたしの喪とは、結局は感じやすさに帰着するようにときおり思うからである。

だが、今までの人生で、わたしはそれだけだったのではないか。感じた、ということだけだったのでは？

一一月一一日

孤独。これこれの時間に帰ってくるよと言える相手や、ほら、もう帰ったよと電話できる（言える）相手がだれもいないこと。

一一月一一日

ひどい一日。ますます不幸だと感じる。泣く。

一一月一二日

きょう――わたしの誕生日だ――、病気なのだが、そのことを彼女に言えない――言う必要がもうない。

一一月一二日

［愚かしさ］スゼー*が歌うのを聴きながら、「ひどい悲しみを心に感じて」、わたしは泣きくずれる。

*かつてはスゼーをばかにしていたというのに。[14]

一一月一四日

——「母という立場への祈り」に、ある意味でわたしは抵抗しているのだ。自分の悲しみを説明するために。

一一月一四日

うれしいこと。『彼自身によるバルト』の本における彼女の存在のしかた[15]のおかげで、彼女がどんなふうだったか、わたしたちがどうであったかを、たくさんの（遠い）人たちが感じ取ってくれたと（手紙から）わかることだ。だから、わたしはうまくやりとげたのであり、それが今はよいほうに流れている。

一一月一五日

死が事件であり、予期せぬできごとであり、それゆえに人を集めて、興味をひき、緊張させ、感情をかきたてて、茫然とさせる、という時期がある。そして、ある日のこと、もはや事件ではなくなる。縮まって、取るに足りないことになり、語られなくなる。陰鬱で、手だてのない、べつの持続になる。いかなる語りの論法もありえない、ほんとうの喪になる。

一一月一五日

——胸がはりさけそうになったり、いたたまれなくなったりして、

ときおり、生がこみあげてくる

一一月一六日

いまでは、街路やカフェなどいたるところで、わたしには見える。それぞれの人が避けがたく死を前にした姿をしている、すなわち確実に死すべきものである、ということが。——そしておなじくはっきりと、彼らがそのことを知らないように見える。

一一月一六日

ときおり、欲求がわきあがってくる（たとえばチュニジアに旅行したいとか）。だがそれは、かつての――時代遅れのような――欲求である。べつの河岸からやってくるものだ。かつての国というべつの国から。――今いるのは、平板で陰鬱で――水源もほとんどない――つまらない国である。

一一月一七日

（悲しみの発作）

（というのは、V[16]が、リュエイユ[17]でマムに会った、と書いてきたからだ。灰色の服を着ていた、と。）

喪とは、もうこわくない、という残酷な領域だ。

一一月一八日

喪をおもてに出したりしないこと（すくなくとも平然としていること）。だが、喪の意味している情愛にみちた関係に公法を課すこと。

一一月一九日

［立場の混乱］。数か月のあいだ、わたしは彼女の母親になっていた。[18] だから自分の娘を亡くしたようなものだ（母を亡くすよりも大きな苦しみなのではないか？　そのことは考えていなかった）。

一一月一九日

彼女がわたしに言ったあの言葉を思い出しても泣かなくなるときが、たんにありうるのだと思うと、ぞっとする……。

一一月一九日

パリからチュニスへの旅。飛行機がつぎつぎと故障する。いくつもの空港で、際限なく足どめされる。大イード祭[19]のために故郷に帰るらしいチュニジア人たちの雑踏のなかで。飛行機が故障した日という災難に、なぜ、ちょうど喪がかさなってしまうのだろうか？

一一月二一日

心の混乱、見捨てられた状態、無気力。ときおり、エクリチュールのイメージだけが「欲望をおこさせるもの」としてあらわれる。隠れ家、「救済」、計画、ようするに「愛」、喜びとして。心からの信者も、「神」にたいしておなじような心の動きをもっているのだろうと思う。

一一月二一日

自然に会話をして、なにかに興味をもったり、観察をしたりして、以前とおなじように生きている。そのことと、悲しみのうずきとのあいだには、つねに、あの苦しいねじれがある（なぜなら謎にみちて不可解なことだからだ）。さらに苦しいのは、以前とかわらず、生活が「混乱して」いないことである。だがそうすると、おそらくは、わたしが悩まされている先入観によるのであろう。

一一月二一日

マムが亡くなってから、消化不良のようになっている。——彼女がわたしのことでいちばん気をつかっていた食べ物の点において、わたしは打撃をうけているかのようだ（とはいえ、数か月前から、彼女は自分で料理はできなくなっていたのだけれど）。

一一月二一日

「鬱病」が何から生じうるのかが、やっとわかった。去年の夏の日記[20]を読みかえすと、わたしは「魅了される」(夢中になる)と同時に、失望もする。つまり、必死で書いたものは、やはりつまらないということである。悲しみの底にいながらエクリチュールにしがみつくことさえできなくなったそのときに、「鬱病」は始まるのだろう。

一一月二一日夜

「どこにいてもうんざりする」

一一月二三日

ガベス[21]での陰鬱な夕べ(風、黒い雲、ひどいバンガロー、シェムス・ホテルのバーでの民族芸能)。思考においては、もうどこにも逃れられない。パリでも、旅行でも。もう逃げ場はない。

一一月二四日

わたしが驚く——ほとんど心配に（不安に）なる——のは、じつはこれは喪失ではないということだ（わたしの生活は混乱していないのだから、これを喪失のように語ることはできない）。そうではなく、傷なのだ。愛する心に痛い思いをさせるもの。

一九七七年一一月二五日

+ 自然さ

わたしが自然さとよぶのは、あの極限の状態だけである。たとえば、弱まった意識のなかでマンが、自分の苦しさのことは考えずに、「あなたは、あなたは、すわりごこちが悪そうだわ」と言ったときである（なぜならわたしはスツールに腰をかけて母をあおいでいたからだ）。

一一月二六日

喪の断続的な性質が、どうしてもわたしをおびえさせる。

一一月二八日

だれに（答えを期待して）この質問をできるだろうか？

愛していたひとがいなくなっても生きられるということは、思っていたほどはそのひとのことを愛していなかった、ということなのだろうか……？

一一月二八日

寒さ、夜、冬。わたしは暖かくしているが、しかしひとりだ。そして理解する。この孤独のなかに自然に身をおいて、そこで行動をし、仕事をすることに慣れねばならないだろう、と。「不在の存在」がかたわらにいて、ぴったりとくっついたままで。

一一月二九日

「中性」の講義ノートを検討——再開すること。[22]揺れ動き（「中性」と「現在[23]」）。

一一月二九日

↓「喪」

ひとりで長々とAC[24]に説明した。わたしの悲しみが、いかに混沌として、不安定であるかを。その点において、喪の普通の――そして精神分析的な――概念に抵抗しているのだ。喪は、時間の作用を受けて、弁証法的過程をたどり、弱まって、「好転してゆく」ものだ、という概念に。悲しみは、すぐには何も奪い去ったりしない――が、そのかわりに「弱まる」こともない。

――それに答えてACが言う。そういうものですよ、喪というのは。（そんなふうに、喪は「知」や「還元」のテーマを形成している。）――わたしは苦しんでいるのだ。わたしの悲しみが還元されること――キェルケゴールによると、一般化されること[25]――には耐えられない。まるで剽窃されているみたいではないか。

一一月二九日

↓「喪」

［ACに説明する］

喪は、弱まらない。磨耗もしないし、時間の作用も受けない。混沌として、不安定で、最初の日も今もおなじように鮮烈な（悲しみの／生涯の愛の）ときなのだ。

（わたしという）主体は、現在のものにすぎない。現在にしかいない。こうしたことすべては、精神分析に反する。十九世紀的なもの、すなわち「時間」や転位の哲学や、「時間」による変化（治癒）、そして有機体論に反する。

ケージ[26]を参照のこと。

一一月三〇日

「喪」と言わないこと。あまりにも精神分析的だから。わたしは喪に服しているのではない。悲しんでいるのだ。

一一月三〇日

根源的な態度としての新たな生。[27]（中断する——勢いにまかせて進んできたものを中断する必要がある）。

——相反する二つの道が可能だ。

一、自由、厳格さ、真実

（これまでの自分を一変させること）

二、寛容主義、慈愛

（これまでの自分を強調すること）

一一月三〇日

悲しみの「とき」がおとずれるたびに、このときまさに、はじめて、喪を実感しているのだと思う。

そのことが意味するのは、強さによる全体性ということである。

一二月三日

［エミリオでFM・バニエといっしょの夜[28]］

すこしずつ会話から遠ざかってゆく（軽蔑して会話を避けているのだと思われるのはつらいが）。FMBは（ユセフ[29]に引きつがれて）、価値や規範や魅力や流儀の強力な（しかも才覚のある）体系をつくりあげている。だが、その体系の堅牢さに比例して、わたしは自分が排除されているように感じる。それゆえ、すこしずつ、わたしは闘わなくなって、心ここにあらずとなり、自分のイメージさえ気にかけなくなる。それは、こんなふうに社交性がはじめは軽くそれから全面的に失われることによって始まる。こうした変化に、すこしずつマム――わたしにとっては今もなお生き生きとしている――への愛惜が混じりあってゆく。そして最後には、悲しみの穴に落ち込むのである。

一二月五日

［JLを失いつつある――彼が遠ざかっている――という思い］。もし彼を失っているとしたら、わたしは容赦なく、死の領域に差し向けられ、追いこまれていることであろう。

一二月七日

いまでは、ときおり、泡がはじけるように不意に、わたしのなかで湧きおこってくる。彼女はもういない、もういない、永久に完全に、という事実確認が。それは、くすんでいて、形容することができない——めまいを起こさせる。なぜなら、何も意味しない（解釈がありえない）からだ。

——新たな苦悩。

一二月七日

「死」についての（素朴な）ことば。

——「ありえない！」

——「どうして、どうして？」

——「永久に」

など。

一二月八日

喪は、なにかを押しつぶしたり妨げたりすること（「充満したもの」を想定させるようなこと）ではなく、悲痛な自由さである。わたしは警戒態勢にあり、「生きる意味」のおとずれを待ち構えて、見張っているのだ。

一二月九日

喪とは、心身の不調であり、ゆさぶりをかけられない状況である。

一二月一一日

この静かな日曜日の朝、もっとも暗いさなかにあって。

いま、すこしずつ、深刻な（絶望的な）命題がわたしのなかで湧きおこってくる。これからは、わたしの人生にとっての意味とは何なのだろうか、と。

一九七七年一二月二七日　ユルト

激しい涙の発作。

(ラシェルとミシェル[30]と、バターとバター入れのことが問題になった)。一、べつの「世帯」と暮らさねばならない苦痛。ここユルトにあるものすべてが、彼女の世帯に、彼女の家に、わたしを立ちもどらせるというのに。二、いかなる男女(夫婦)も団結しており、ひとりものは排除される。

一九七七年一二月二九日

わたしの喪を言い表せないのは、わたしがそれをヒステリックに語らないことからきている。

とても特殊な、持続する不調だからである。

一九七八年一月一日

ユルト。強くて持続する悲しみ。たえず心にすり傷を負っている。喪はひどくなり、深刻化する。はじめのうちは、奇妙なことだが、新しい状況（孤独）を知ろうとする好奇心のようなものがあったのだが。

一月八日

みんなが「とてもやさしい」――それでも、わたしはひとりだと感じる。(「遺棄恐怖症者」)。

一九七八年一月一六日

あまりたくさんのメモは書かなくなっている——だが悲嘆はある——悲嘆によって分断された持続する不調がある（きょうは悲嘆のほうだ。不調は書くものではない）。

——すべてがわたしを傷つける。ささいなことが、見捨てられたという思いをわたしのなかにひきおこす。

ほかの人たちのことが耐えがたくなっている。ほかの人たちの生きる意欲や、ほかの人たちの世界が。ほかの人たちから遠いところに隠遁する決断に心ひかれている［Yの世界[31]にはもう耐えられない］。

一九七八年一月一六日

わたしの世界は、くすんでいる。そこでは、なにもほんとうには響かない——なにも結晶化しない。

一九七八年一月一七日

ゆうべ、悪夢をみた。ぐあいの悪いママの姿だった。

一九七八年一月一八日

わたしをひどく苦しめるものと、わたしの感情を抑えつけるものとを、同時に癒すことはできない（苦悩にたいしては、ヒステリックにゆさぶりをかけることはまったくできない、なぜなら勝負はついているからだ）。

一九七八年一月二三日

わたしは孤独を欲してはいないが、必要としている。

一九七八年二月一二日

——寛容の欠如という、やっかいな（不愉快で、落胆させられる）感情。そのことに苦しむ。

——それをマムのイメージに関連づけることしかできない。あれほど申し分なく寛容であったマムに（その彼女がわたしに、あなたはやさしいわ、と言っていた）。

——彼女が亡くなったとき、わたしは思った。いかなる狭量さも嫉妬もナルシシスムも捨て去るという「善意」の完璧さのようなものによって、わたしは彼女の死を純化するのだ、と。ところが、わたしは「気高さ」や「寛容」をすこしずつ失いつつある。

一九七八年二月一二日

――雪。パリに大雪。ふしぎだ。

――彼女はけっしてもどってこないのだから、雪を見ることはできないし、わたしが彼女と雪の話をすることもできない。そう思って、苦しむ。

一九七八年二月一六日

今朝もまた雪だ。そしてラジオでは、ドイツ歌曲。なんと悲しいことか！[32]――かつての朝のことを思う。病気で学校を休み、彼女といっしょにいる幸せをあじわった朝。

一九七八年二月一八日[33]

喪は、変わることはないが、散発的であるとわかった。喪は磨耗しない。なぜなら、持続したものではないからだ。

会話の中断や、うっかりと話がべつのものにとぶことが、社交上の喧騒や不快から生じるときには、鬱状態はひどくなる。だが、そうした「変化」（散発的なものを生みだす）が、沈黙や内面に向かうときには、喪の傷は、より高度な思考へと移行してゆく。（逆上の）下品さは、（孤独の）気高さとは違うのだ。

二月一八日

マムの死によって、わたしは社交上の無関心を身につけたので、「強い」ひとになるだろうと思っていた。ところが、まったく逆だった。わたしはいっそう弱くなっている（ささいなことが原因で、見捨てられた気持ちになるのだから、当然だ）。

一九七八年二月二一日

［気管支炎。マムの死のあと、はじめて病気になった。］

けさは、たえずマムのことを考えた。嘔吐感をもよおすような悲しみ。「取りかえしのつかないこと」への嘔吐感。

一九七八年三月二日

マムの死に耐えられるようにしてくれるもの。それは、自由の喜びのようなものに似ている。

一九七八年三月六日

わたしのコートはとても陰気なので、いつもつけていた黒や灰色のスカーフをすると、マムが見たら耐えられなかっただろうと思う。もうすこし色のあるものにしなさい、というマムの声が聞こえてくる。

だから、はじめて、色のついた（タータンチェックの）スカーフをつける。

一九七八年三月一九日

M[34]とわたしは、逆のように感じている（仕事をしなさいとか、気晴らしをしなさい、世間に目を向けなさい、などとよく言われるからだが）。わたしたちは、仕事に追われて、忙しくし、外から刺激を受けて、外在化しているときにこそ、悲しみがもっとも大きくなる。内面性、静寂、孤独などのほうが、苦しみを少なくするのである。

一九七八年三月二〇日

「時間」とともに、喪は和らげられるものですよ、とよく言われる（パンゼラ夫人[35]がわたしにそう言った）。——いや、そうではない、「時間」によって何も移ろったりしないのだ。喪による涙もろさが移ろってゆくだけである。

一九七八年三月二二日

悲しみが、喪が、巡航速度で進むときには……。

一九七八年三月二二日

感情（涙もろさ）は過ぎ去るが、悲しみは残る。

一九七八年三月二三日

涙もろさ（和らいでゆくもの）と、喪や悲しみ（いま、こ、こ、に、あ、る、もの）との、（おそるべき）区別をまなぶこと。

一九七八年三月二三日

——「写真」についての本にとりかかる自由な時間を（遅れをなくして）早く見つけたいと思う（数週間前から気持ちをたえず確かめている）。つまり、この悲しみをエクリチュールに組みこむことだ。[36]

書くことがわたしのなかで愛情の「鬱滞」を変え、「危機」を弁証法化してゆく、という信念と、おそらくは確証がある。

——「プロレス」のことはすでに書いた。[37] もう見たいとは思わない

——「日本」もおなじだ[38]

——「オリヴィエ危機」[39]から『ラシーヌ論』がうまれた

——「RH[40]危機」からは『恋愛のディスクール』

「――おそらくは「中性」の講義[41]によって、「争い」へのおそれを変えることができるのではないか？」

一九七八年三月二四日

石のような、悲しみ……
（首のところに、
　わたしの奥底に）

三月二五日

きのう、ダミッシュ[42]に説明した。涙もろさは過ぎ去りつつあるが、悲しみは残っている、と。――彼は言う。いや、涙もろさはもどってくるよ、今にわかるから。

ゆうべ、ママンが死にかけているという悪夢をみる。わたしは取り乱して、泣きそうになる。

一九七八年四月一日

じつは、結局のところ、といつもこうだ。まるでわたしが死んでいるかのように。

一九七八年四月二日

こんどは何を失わねばならないのか。わたしは、生きる「理由」を——だれかのことを心配する「理由」を——失ってしまったというのに。

四月三日

「わたしはマムの死に苦しんでいる。」

（文字にいたるための歩み）

四月三日

絶望。この言葉は演劇的すぎる。言語活動の一部をなしている。

石。

一九七八年四月一〇日

ユルト。ワイラー監督の映画『まむし』(『子狐たち』[43])。出演はベティ・デイヴィス。

——あるとき、娘が「おしろい」のことを話す。

——わたしの子供時代全体がよみがえってくる。ママン。おしろいの箱。すべてがある、現前している。わたしはそこにいる。

↓「わたし」は老いない。

(わたしは「おしろい」の時代とおなじくらい「若い」のだ)

一九七八年四月一二日ごろ

思い出すために書く？　自分が思い出すためではなく、忘却がもたらす悲痛さと闘うためだ。忘却が、絶対的なものになるであろうかぎりは。――やがては――どこにも、だれの記憶にも、「もはやいかなる痕跡もなくなってしまう」ということ[44]。

「記念碑」をつくる必要がある。
彼女ガ生キタコトヲ忘レルナ。

一九七八年四月一八日　マラケシュ[45]

マムがいなくなってからは、かつて（短いあいだだけ彼女から離れて）旅をしたときに感じたあの自由な印象を、もはや感じることがない。

喪46

一九七八年四月二一日　カサブランカ

マムの死のことを考えた。突然、一瞬のぐらつく感じ。とても短いフェーディング現象。胸を刺すような、しかし空ろなような感じ。その本質とは、「決定的なこと」の確実性である。

喪

ガルデ『神秘学[47]』、二四ページ

「ぐらつく感じ、フェーディング現象、「決定的なこと」という翼の通過」

（インド）

＝「徹底的な否認という完璧な肯定、経験された知的無知の道。」

——「喪」のフェーディング＝悟り（四二ページを参照）

「あらゆる精神的動揺の空しさ」

（「主体‐客体のいかなる区別をも壊すこと」）

喪

一九七八年四月二七日　カサブランカ　パリに帰る日の朝

——この地で二週間のあいだ、マムのことを考えつづけ、その死に苦しみつづけた。

——たしかにパリにはまだ家がある。彼女がいたときからのわたしの生活システムがある。

——ここは遠いので、そのシステム全体がなくなっている。それゆえ、逆説的なことだが、「彼女」から遠く離れた「外界」にいて、楽しみ（?）や「気晴らし」をしているときに、苦しみはずっと大きくなる。「ここには何でもあるから、忘れられるよ」とみんなが言うところでこそ、忘れられなくなる。

喪

一九七八年四月二七日　カサブランカ

——マムの死のあと、こう思った。善意のなかへの解放のようなものがあり、マムは手本（「人物像」）としてますます強く生きつづけて、わたしは多くの狭量さの原因である「おそれ」（服従）から解放されるだろうと（というのは、これからは、わたしにとって、すべてはどうでもいいのではないか？　無関心——自分にたいする——は、いわゆる善意の条件なのではないか？）。

——だが残念なことに、反対のことが生じている。わたしは、エゴイズムや小さな執着をなにひとつ捨てられないだけでなく、たえず「自分のほうを愛し」つづけているし、しかも、だれかに愛情をこめて情熱をそそぐことができないでいる。あらゆる人が、わたしには少しばかりどうでもよくなっている。もっとも親しい人たちさえもが。「心の冷たさ」——意気阻喪——を感じる——つらいことだ——。

一九七八年五月一日

マムは永久に完全に死んでしまったと考え、そうわかること(「完全に」というのは、暴力的にしか、そして長いあいだその思いを持ちつづけられるのでなければ、考えられないことだ)。それは文字どおりに(字義どおりに、そして同時に)、わたしもまた永久に完全に死ぬであろうと考えることである。

したがって、喪(わたしの経験しているような喪)には、死の根源的かつ新たな飼いならしがあるのだ。というのは、以前には借りものの知識(他者や哲学などから借りてきた不器用な知識)にすぎなかったのが、今ではわたしの知識となっているからである。それは、わたしの喪ほどわたしを苦しめることはまずありえない。

一九七八年五月六日

きょうは——すでに機嫌が悪かったのだが——、夕方ごろに、ひどく悲しくなった。ヘンデル(『セメレ』第三幕)のバスのとても美しいアリアを聴いて、涙がでてくる。マムの言葉を思う(「わたしのロラン、わたしのロラン」)。

一九七八年五月八日

（ついに書くことができるであろう日をめざして）

ようやく！　吸い込んだ息そのものを注いできたこの書きものから離れて、わが悲しみが吐き、、出す息を整えるのだ。ひどく消耗させられる山ほどの執拗な依頼によって、ようやくのことで――。

（他者たちのおかげでこの悲しみから離れ、他者たちのおかげで「理屈をこねまわす」ことから離れる）

わたしは、イマージュではなく、イマージュの理屈をこねまわすことを求めていたのだ。

五月一〇日

この数夜は、マムが病気で苦しんでいるイマージュ——悪夢をみる。はげしい恐怖。

起こってしまったことへの恐怖に苦しむ。

ウィニコットを参照のこと。起こってしまった崩壊への恐怖[48]。

一九七八年五月一〇日

マムの死によってわたしがおかれている孤独は、彼女がまったく関与しなかった領域においてわたしをひとりきりにしている。自分の仕事、という領域においてである。この領域にかんする攻撃（痛手）を読むたびに、自分が以前よりも無残なほどいっそう孤独で見捨てられていると感じる。「頼るべきもの」の崩壊。たとえそれがあったとしても、けっして直接的には頼っていないだろうけれども。

「喪」や「遺棄」の徹底的な（激しく心をかき乱す）換喩。

一九七八年五月一二日

［喪］

わたしは――闇のなかで――揺れ動いている。ときおり、断続的に、散発的なふうにしか――発作の起こる間隔が短いにせよ――わたしは不幸ではないのだという事実確認（だがほんとうに正しいのか？）と、結局のところは、じつは、ママの死以来、たえず、いつも、わたしは不幸なのだという確信とのあいだで、揺れ動いている。

一九七八年五月一七日

昨夜、『ワン・トゥー・トゥー』[49]というくだらなくて粗野な映画をみた。スタヴィスキー事件[50]の時代――わたしも知っている時代――の話である。映画は概して、何の思い出ももたらさなかった。だが、突然に、インテリアの細部のひとつにわたしは心をゆさぶられた。たんに、ひだのシェードと飾り紐のついた電灯なのだが。マムも電灯をそんなふうにしていた――以前にバティック染めをしていたからだ。まったく彼女はわたしに衝撃をあたえる。

一九七八年五月一八日

愛とおなじように喪も、非現実性や執拗さによって、世間や社交的なものとぶつかる。わたしは世間に抵抗する。世間がわたしに求めるものや、求めること自体に苦しめられる。わたしの悲しみ、渇き、混乱、いらだちなどを世間は増加させる。世間はわたしを落ちこませる。

一九七八年五月一八日

（昨日）

ひとりの女性がラ・ユヌ[51]の窓べりに腰かけているのが、カフェ・フロールから見える。その女性はグラスを手にもち、退屈しているようだ。人々の背中が見え、二階は人でいっぱいになっている。カクテル・パーティだ。

五月のカクテル・パーティ。季節ごとの社会的な紋切り型に、悲しく気が滅入るのを感じる。胸を刺すような痛み。もうマムはいなくて、ばかげた生活は続いている、と思う。

一九七八年五月一八日

マムの死。たぶん生涯でわたしが神経症的に受け取らなかった唯一のことであろう。喪はヒステリックではなかったし、ほかの人の目にはほとんどわからなかった（たぶん、「演劇的にする」ことを考えると耐えられなかったからだろう）。おそらくは、もっとヒステリックになって、鬱状態をひけらかし、あらゆる人を追いはらって、社会的に生きるのをやめていたら、わたしはこれほど不幸ではなかっただろう。だから、非‐神経症というのは、よくないし、好ましいことでもないとわかった。

一九七八年五月二五日

マムが生きていたときは（すなわち、わたしの今までの人生では）、マムを失うのがこわくて神経症になっていた。

いま（まさに喪によって学んだことであるが）、この喪が、いわばわたしが神経症的ではない唯一のときとなっている。あたかも、マムが最後の贈り物によって、神経症という悪い部分をわたしから遠いところへ運び去ってくれたかのようだ。

一九七八年五月二八日

喪の真実は、単純そのものである。マムが死んでしまった今、わたしは死のふちに立たされているということだ（わたしを死から分かつのは、もはや時間だけである）[52]。

一九七八年五月三一日

わたしが書いたもののすべてのなかに、マムはどういう点で存在しているのだろうか。あらゆるところに「至高善」の考えがある、という点においてである。

（JLとエリック・Mが『ユニヴェルサリス百科辞典』でわたしについて書いた項目[53]を参照のこと）

一九七八年五月三一日

わたしが必要としているのは孤独ではなく、（仕事の）匿名性である。

わたしは、分析的な意味での「仕事」(「喪の作業」や「夢の作用」というときの「仕事」)を、現実の——書く行為という——「仕事」に変えてゆくのだ。

なぜなら

(愛や喪といった)大きな危機から脱するための(と言われる)「仕事」は、性急に解決されてはならないからだ。わたしにとっては、そのような「仕事」は、書く行為のなかで、書く行為によってしか、なし、なしとげられないのである。

一九七八年六月五日

――それぞれの主体（この言葉がますます多く用いられるようになっている）は、「認められ」るために行動をする（懸命に努力をする）。

わたしは、人生のあの時点（マムが死んでしまった時点）で、すでに（書いた本によって）認められていた。だが、奇妙な――おそらくは間違っている？――ことに、マムはもういないのだから、わたしはもういちど人に認めてもらわねばならない、という漠然とした思いがしている。どんな本でも書きふやしてゆくというのでは、それはありえない。以前のように、本から本へ、講義から講義へと続けてゆくという考えは、わたしにはただちに死をもたらすものとなった（それが死ぬまで続くのが見えた）[54]。

（だから、辞職したいという現在の努力がうまれたのである）[55]。

知恵と自制心をもって作品についての講義[56]（そもそも講義の予告もしていないが）を再開する

まえに、マムをめぐるあの本を書く必要がある（と大いに感じている）。

——ある意味では、あたかもマムを認めさせねばならないかのように、でもある。これが「記念碑」のテーマだ。だが……。

わたしにとって「記念碑」とは、永続的なものや永遠のものではない（わたしの主義は徹底的に、すべては移ろう、なのだ。墓もまた滅びるのだから）。「記念碑」とは、ひとつの行為であり、認めさせようとする能動性なのである。

（六月七日。「セザンヌの晩年」の展覧会にＡＣと行く）[57]

マムは、セザンヌの作品（最晩年の水彩画）のようだ。

青のセザンヌ。

一九七八年六月九日

恋愛が原因で、ＦＷ[58]は憔悴し、苦しみ、うちひしがれ、忙殺されて、すべてに上の空のままである……。しかし、彼はだれも失ってはいないし、愛するひとは生きている……。そしてわたしは、彼の横で話を聞き、冷静で、配慮にとみ、話に集中しているようすを見せている。あたかも、**きわめて深刻**なことなどわたしには起こっていないかのように。

一九七八年六月九日

けさ、サン＝シュルピス教会の奥まで入った。建物のなかにいると、ただ広漠とした建築に陶然となる。——わたしはすこしのあいだ腰をかけ、無意識に「お祈り」のようなものをする。マムの写真の本がうまく書けますように、と。そして気がついた。わたしはいつも子供っぽい「欲求」によって前へ前へと引っぱられ、いつも願いごとをし、なにかを望んでいる、ということに。いつの日か、おなじ場所に腰をかけ、目を閉じ、なにも願いごとをしないようになろう……。ニーチェが言っていた。祈るのではなく感謝をするのだ、と。

そのようなことを喪はもたらすはずではないだろうか。

一九七八年六月九日

（喪）

「持続」しない、だが「変化」はしない。

一九七八年六月九日

愛するひとのかつてのすがたと、彼女の死のあとに残っているものとの、いわゆる調和に気をくばる必要がある（そうしたいと思う）。マムはユルトに葬られたので、墓はユルトに、彼女の持ち物はラーヴル通り[59]に、と。

一九七八年六月一一日

午後に、ミシェルといっしょに、マムの持ち物をよりわけた。

朝は、マムの写真をながめることから始まった。

残酷な喪がふたたび始まる（といっても中断していたわけではないが）。

休むことなくふたたび始まるのだ。シシュフォスの神話。

一九七八年六月一二日

喪の、「悲しみ」のあいだずっと、(とてもつらいので、もう耐えられない、乗りこえられないだろうなどと思って) 遊びの恋をしたり、恋に夢中になったりするという習慣を (行儀の悪い人のように) 平然とつづけていた。欲望の言説や愛しているという言葉も——そもそもとても早く冷めるので——、すぐにべつの人にむかって始めていた。

一九七八年六月一二日

悲しみの発作。泣く。

一九七八年六月一三日

喪（悲しみ）を消し去ろうとするのではなく（時間によって消滅するというのは愚かな考えだから）、変えること、変換すること。停滞した状態（鬱滞、閉塞、おなじものの反復）から、流れる状態に移行させること。

一九七八年六月一三日

［昨夜、Mが怒る。Rは愚痴を言う。[60]］

けさ、やっとのことで写真を手にとり、一枚の写真に心をゆさぶられる。少女のマムが、おとなしく、ひかえめに、フィリップ・バンジェ[61]のかたわらにいる写真だ（シュヌヴィエールの温室、一八九八年）。

涙がでてくる。

自殺したいという思いさえなくなる。

一九七八年六月一三日

人は（ここでは優しいセヴェーロのことだが）、どうも喪を現象によって規定する癖がある。きみは生活に満足していないのかい？　と。——もちろん満足しているさ。「生活」はうまくいっているし、目に見えて不足しているものは何もないからね。だが、外界との問題は何もなくても、「偶発事」もなくても、絶対的な欠如感がある。まさに、これは「喪」ではなく、純粋な悲しみ——代替物も象徴化もない——なのだ。

一九七八年六月一四日

（八か月後に）第二の喪。

（六月一五日）

すべてはすぐに再開した。原稿の送付、依頼、いろいろな人のもめごと。各人が情け容赦なく小さな要求（愛情や謝意の）を押しつけてくる。彼女が亡くなるやいなや、世間は、人生は続くといって、わたしを疲れさせる。

一九七八年六月一五日

奇妙なこと。今まで大いに苦しんだのに、ところが――「写真」のエピソードをとおして――ほんとうの喪がはじまるという感じがするのだ（偽りの仕事を隠蔽していた幕が落ちてしまったからでもある）。

一九七八年六月一六日

マムの写真をながめて、それらの写真をもとにした本の仕事のことを考えると、とても苦しくなる。Cl・M[62]にそう話すと、彼女は言った。たぶんまだ早すぎるのね。

まったく、いつもおなじドクサ（世間の意図をもっともよく表すもの）だ。喪は熟してゆく（すなわち、時間とともに、果樹のように実を落としたり、おできのようにつぶれたりする）というのだから。

だがわたしにとって、喪は不変であり、経過をたどって変化したりはしない。喪にかんしては、なにも早すぎることはない（だからわたしはユルトでの埋葬から帰るとすぐに、アパルトマンの片づけをしたのだ。このことでも、まだ早すぎる、と言われたかもしれないが）。

一九七八年六月一七日

第一の喪
偽りの自由

第二の喪
悲痛で
死をまぬがれず
しかるべき用途のない自由

一九七八年六月二〇日

わたしのなかで、死と生とが闘っている（不連続なものと、喪の曖昧さのようなもの）（どちらが勝つのだろうか？）――だが今のところは、愚かな生（小さな事件、小さな興味、小さな約束など）のほうである。

弁証法的な問題とは、闘いは、遮蔽幕としての生ではなく、知的な生のほうに帰着する、ということなのだ。

六月二一日

この喪の日記をはじめて読みかえした。わたしのことではなく、彼女のこと——彼女の人柄——が話題になるたびに、涙した。

したがって、涙もろさがもどってきたのだ。

喪の最初の日のように生々しく。

日記のつづき

一九七八年六月二四日——一九七八年一〇月二五日

一九七八年六月二四日

内面化した喪では、徴候はほとんどみえない。

それが、絶対的な内面性の実現である。ところが、あらゆる**賢明な**社会は、喪を外面化することを規定し、体系化したのだった。

わたしたちの社会の居心地の悪さは、喪を否認していることにある。

（一九七八年七月五日）　　（ペインターII、六八ページ）[63]

喪／悲しみ

（母の死）

プルーストは、喪ではなく、悲しみを語っている（喪とは、精神分析の新しい言葉であり、かたちを歪曲するものである）。

ペインターⅡ、四〇五ページ
（一九七八年七月六日）

一九二一年秋

プルーストは危うく死にそうになる（催眠剤を飲みすぎたのだ）。

——セレスト[64]「わたしたちはみな、ヨシャパテの谷[65]で会えますわ。」

——「ほんとうにそう思うのかい？　また会えるにちがいないと？　もし、またママンに会えると確信できるなら、わたしはすぐにでも死ぬのだけれどね。」

一九七八年七月九日

モロッコ旅行でアパルトマンを留守にするので、マムが病気で臥せっていた場所に置いてある花をかたづけた。――すると、ふたたび、（彼女の死を）ひどく恐れる気持ちにとらわれた。ウィニコットを思い出す。起こってしまったことへの恐怖というのは、なんと真実であることか。だがさらに不思議なのは、ふたたび起こりえないことなのに、という点である。そして、それこそが決定的なことの定義なのである。

喪

一九七八年七月一三日

ムーレイ・ブ・セルハム[66]

夏の空をつばめが飛んでゆくのを見た。わたしは思った――悲痛な気持ちでマムのことを考えながら――。魂を――魂が不滅であることを――信じないとは、なんという野蛮さだろうか。唯物論とは、なんという愚かな真理を語るものであろうか。

喪

RTPⅡ、七六九ページ[67]

［祖母を亡くしたあとの母］

……「思い出と虚無のあの理解できない矛盾。」

喪

一九七八年七月一八日（カサブランカ）

またマムの夢をみた。彼女がわたしに言った――なんと残酷なことか――あなたはわたしをあまり愛していないのね、と。だが、そう言われても、わたしは平静だった。それが間違いであるとわかっていたからだ。

死とは眠りのようなものであろうという考え。だが、永久に夢を見つづけなければならないとしたら、ぞっとする。

（そして今朝は、彼女の誕生日だ。いつもわたしはバラの花を一本贈っていた。メルス・スルタンの小さな市場で二本のバラを買い、テーブルの上にかざる。）

一九七八年七月一八日

それぞれの人が、自分なりの悲しみのリズムをもっている。

喪

一九七八年七月二〇日

悲しみを、病気や「憑依」――疎外（自分を未知の人にしてしまうもの）――であるかのように――鬱状態だからという口実で――麻薬でまぎらわせることはできない――ふさわしくない――。それは、まさしく本質的で内面的な善なのだから……。

喪

一九七八年七月二一日

メヒウラ。[68] ——モロッコのどこに行っても気分がすぐれなかった（帰国の日を早めようかと思ったほどだ）が、そのあと、ここメヒウラで、すこし心が安らぎ、幸福感のようなものを感じている。鬱状態が道をゆずったのだ。だから、自分が何に耐えられないかがわかった。社交生活や社交界だ。たとえ外国（ムーレイ・ブ・セルハムやカサブランカ）であろうとも。そして必要なのは、おだやかな日常性脱出である。社交界（わたしを取りまく社交界）がなくて、孤独もないこと（アル・ジャディーダでさえ、友人たちに会うので、よい気分が減じてしまう）。だが、ここメヒウラにいるのは、会話を理解するのに大いに苦労するモカ（彼はよくわたしに話しかけるのだが）と、彼の美しくて無口な妻、人見知りをする子供たち、欲望をみせるワジ[69]の若者たち、百合と黄色いグラジオラスの大きな花束を持ってきてくれるアンジェル、犬たち（とはいえ夜に大騒ぎをするが）などである。

喪

一九七八年七月二四日　メヒウラ

いかなる旅であろうと、最後には、この叫びをあげる――彼女のことを思うたびに、も、ど、り、た、い、！（家に帰りたい！）と叫ぶ――。わたしを待ってくれる彼女はいないとわかっているのに。

（彼女のいない場所に帰りたいのか？――そこには、彼女はもういないと思い出させるような未知のものや無関心なものは何もないからだ。）

［ここメヒウラでは、まずまずの孤独ととてもなじんでいて、結局はあらゆる旅でもっとも気分がよいと感じたのだが、そのここでさえもすでに、「社交界」（カサブランカの友人や、ちょっとしたうわさ、アル・ジャディーダの友人など）がすこし顔を出すやいなや、わたしは気分があまりよくなくなるのだった。］

喪

一九七八年七月二四日　メヒウラ

Mでの最後の日。

朝。太陽、独特の文学的な歌をさえずる鳥、田舎の音（モーター音）、孤独、安らぎ、攻撃性のなさ。

ところが――澄んだ空気のなかで、かつてないほどに、マムの言葉を思って泣きだしてしまった。わたしに焼けるような痛みをあたえて、いつも心を乱れさせる、「わたしのロラン！　わたしのロラン！」という言葉を（そのことは誰にも言えなかった）。

喪

一九七八年七月二四日

マムがわたしにあたえてくれたのは、身体における規則正しさだ。「掟」ではなく、「規範」（「効果」があるが自由さがすくないもの）である。

喪
あるいはΦ70

一九七八年七月二四日

「温室」の写真。わたしは狂ったように、明白な意味を語ろうとしている。

(写真。明白なものを語ることができない。文学の誕生)

「無垢」とは、けっして何かを傷つけたりしない。

［昨夜、七八年年七月二六日、カサブランカから帰ってきて、友人たちと夕食をとる。（「パピヨン・デュ・ラック」の）レストランで、ポールがいなくなる。ＪＬは、自分たちのけんかが原因だと思う。ひどく動揺して、捜しに行き、汗をかきながらもどってくる。心をいためて、罪悪感にとらわれている――Ｐの自殺衝動をかきたてたのだ……と。また席を立って、湖のほうに捜しに行く……。］

みんなで話す。Ｐが気違いじみているのか（ハプニング）、残酷なのか（わたしは不作法という意味で言ったのだが）、どちらなのだろう、と（いつも、こういう狂気の問題だ）。

↓そして思う。愛するひとを苦しめないでいられると、マムが教えてくれた、と。

彼女は、愛するひとをぜったいに苦しめることはなかった。それが、彼女の本質の定義であり、彼女の「無垢さ」であった。

一九七八年七月二九日　国立図書館——ボネ、二九ページ[71]

一九〇六年、母を亡くしたあとのアンドレ・ボニエへ、プルーストからの手紙。プルーストは説明する。自分は悲しみのなかにしか、幸福を感じることはできなかった……と。(だが彼は罪悪感をもっている。なぜなら、自分が病気がちだったために、母に心配をかけていたからだ)。「この思いがわたしをたえず苦しめるのでなければ、回想や、名残や、わたしたちが生きた完璧な一体感のなかに、あじわったことのない喜びを見いだせることでしょうに」。

——三一ページ。母を亡くしたばかりのジョルジュ・ロリスへの手紙(一九〇七年)。

「今、あなたにひとつのことを言いたいと思います。あなたは、まだ想像することのできない喜びをいつか持つことになるでしょう。お母さまが生きていらっしゃったときは、いらっしゃらなくなる今の日々のことをあなたは大いに考えたでしょう。これからは、お母さまがいらっしゃったかつての日々のことを大いに考えるでしょう。そして、それは永久に過去のなかに押しこまれてしまっているのだという残酷な事実に慣れてしまったら、そのときに、お母さまがそっと蘇って、場所を——あなたに近い場所のすべてを——占めにもどってくるのを感じるでしょう。今はまだ無理です。じっとしていなさい。待つのです。あなたを打ちのめした［……］不可解な力が、あなたをすこし起き上がらせるのを。すこし、と言ったのは、あなたはつねに、打ちのめされた何かを持ちつづけるだろうからです。あなたもそう思っていてください。というのは、それは、これからも同じように愛しつづけるだろうし、けっして立ち直ることはないだろうし、ますますつよく思い出すであろうということを知る喜びだからです。」

一九七八年七月二九日

(ヒッチコックの映画『山羊座のもとに』を見た)

イングリッド・バーグマン(一九四六年ごろだ)。なぜだかわからないし、なんと言うべきかわからないのだが、この女優——この女優の身体——に心を動かされた。わたしのなかで、マムを思い出すものに触れるからである。彼女の肌の色、とてもシンプルな美しい手、さわやかな印象、自己陶酔的ではない女らしさ……。

一九七八年七月三一日、パリ

わたしは悲しみに生きており、それがわたしを幸せな気分にする。

悲しみに生きることを妨げるものすべてに耐えられない。

一九七八年七月三一日

悲しみに生きること以外はなにも望んでいない。

一九七八年八月一日

［たぶんもう書いたことだが］

悲しみとともに生きることが――結局は――できるのだと、いつも（苦しいながらも）驚いている。それが文字どおり、たえられるということにである。だがそれは――おそらく――、そのことを語り、文にすることがかろうじて（すなわち、そうできないという思いとともに）できるからであろう。わたしの教養やエクリチュールの好みが、そのような悪魔払い的な力をわたしにあたえているのだ。あるいは、言葉によって*組み入れるという同化の力を。

わたしの悲しみは説明できないが、それでも語ることはできる。「たえがたい」という言葉を言語がわたしに提供してくれるという事実そのものが、ただちにいくぶんかの耐性をもたらすのである。

*全体のなかに入れる――連合する――、共有化する、共産化する、群生する。

一九七八年八月一日

さまざまな場所や旅行への失望。どこに行っても気分がすぐれない。すぐに、あの叫びが出てくる。帰りたい！（だが、どこに？　わたしが帰ることのできた場所にいた彼女は、もうどこにもいないというのに）。わたしは自分の場所をさがしている。ワタシハ渇望シテイル。

一九七八年八月一日

文学、まさにそうなのだ。プルーストが手紙のなかで、母親の病気や気丈さや死、彼の悲しみなどについて書いたことすべてを読むと、いつも苦しくなって、真実に息のつまる思いがする。

一九七八年八月一日

――喪の恐ろしいすがた。意気阻喪や、心の冷たさ。いらだち、人を愛せないこと。寛容を――あるいは愛を――生活のなかにいかに取りもどすかがわからなくて、ひどく苦しんでいる。いかに愛するべきか。

――フロイトの図式よりも、ベルナノスの（『司祭』の）「母[72]」により近い。

――どれほどママンを愛していたことか。彼女に会いに行きたい気持ちをけっして抑えられなかったし、（ヴァカンスのときは）再会するのが楽しみだったし、彼女を自分の「思うがまま」にしていた。ようするに、深く、細心に、彼女と結びついていたのである。だが今は、わたしが強引におなじことをできるひとは、まわりに一人もいない。その悲嘆から、意気沮喪は生じている。悲嘆にくれたエゴイズム。

一九七八年八月一日

喪。愛するひとの死は、ナルシシズムが強烈になる時期である。そのときに、病や束縛から脱するからである。そのあと、自由がすこしずつ鉛色になってゆき、悲嘆がすみついて、ナルシシズムは、悲しいエゴイズムや不寛容に取って代わられることになる。

一九七八年八月三日

ときおりあること（昨日も国立図書館の中庭で）。マムはもう永久にいないという稲妻のような一瞬の思いを、なんと言うべきであろう。（決定的なことという）黒い翼のようなものがわたしの上を通過して、息をできなくしてしまう。とても激しい苦しみなので、わたしは生きのびるために、ただちに別のもののほうへ逸れてゆくようである。

一九七八年八月三日

わたしが孤独を必要としている（不可欠となっているらしい）ことの研究。とはいえ、友人たちも必要（やはり不可欠）である。

したがって、以下のようでなければならない。一、ときおり友人たちに「電話」をして、活力をとりもどし、無気力——とくに電話の——を克服することを自分自身に課すこと。二、とくにわたしが電話をかけるにまかせねばならないことを理解してくれるよう、友人たちに求めること。友人たちが連絡をしてくるのが、あまり頻繁ではなく規則的でもなかったとしたら、わたしとしては自分から彼らに連絡をしなければならないという意味になるであろうから。

喪

一九七八年八月三日

帰りたい、いい！と言いだす暇のない旅行しか、したいとは思わない。

（一九七八年八月一〇日）

プルースト　SB、八七ページ[73]

「美は、わたしたちが想像しているものの最上級ではないし、わたしたちの眼前にある抽象的な類型のようなものでもない。それどころか、新しい型なのであり、現実がわたしたちに見せることでは想像できないものである。」

［おなじように言いたい。わたしの悲しみは、苦痛や遺棄などの最上級ではないし、（分析言語によって説明できるであろう）抽象的な典型のようなものでもない。それどころか、新しい型なのであり……。］

一九七八年八月一〇日

プルースト『サント＝ブーヴに反論する』、一四六ページ

彼の母親について

……「彼女の顔の美しい輪郭……、キリスト教徒の穏やかさとジャンセニスト［プロテスタント］の勇気がはっきりと刻みこまれて……」[74]

（七八年八月一〇日）　サント＝ブーヴ、三五六ページ

「わたしたちはふたりとも沈黙をまもっていた。」

プルーストと母親の別離にかんする悲痛な数ページ。

「でも、もし、わたしがいなくなっていたとしたら……、数か月も、数年も、さらに……」。

「わたしたちはふたりとも沈黙をまもっていた……」。

そして、「わたしはいつもひとりだろう、と言った。だが、夜には……、魂は不滅なのであり、いつの日か結びつくのであると……」。

（一九七八年八月一〇日）

イエスはラザロを愛しており、ラザロを蘇らせるまえに涙を流した（ヨハネ、一一）、ということに心打たれた。

「主よ、あなたが愛してらっしゃるひとが病気です。」

「病気だと知っても、イエスは二日間、その場を動こうとしなかった。」

「われらの友のラザロは眠っています。彼を起こしに［蘇らせに］行きましょう。」

……「イエスは心のなかで身震いした。動揺した……。」

一一の三五。「主よ、来て、ごらんください。」イエスは涙した。そこでユダヤ人たちは言った。

「なんと愛してらっしゃったのだろう！」

ふたたび彼自身のなかで身震いしながら……。

（一九七八年八月一〇日）

［ロベール・ド＝フレールの亡くなったばかりの祖母の肖像。プルーストが語ったもの（『クロニック』、七二ページ）］

「彼女の祖母としての涙――少女のような涙――をわたしは見たのでした……」[75]

一九七八年八月一一日

シューマンの楽譜集をぱらぱらと見ていて、すぐに思い出した。マムは「間奏曲」が好きだった、と（いちど、ラジオ番組でかけてもらったことがあった）。

マム。わたしたちはほとんどしゃべらなかったし、わたしは無口だった（プルーストが引用したラ・ブリュイエールの言葉[76]）。だが、彼女のちょっとした好みや意見もおぼえている。

一九七八年八月一二日

(俳句。ミュニエ、二二一ページ)[77]

八月一五日の週末の静けさ。[78] ラジオからバルトークの『かかし王子』が流れているあいだ、わたしはつぎの文を読む。「ずっと長いあいだ、わたしたちはこの上ない静けさのなかで座っていた」(芭蕉の偉大な旅行記である鹿島詣において)[79]。

すぐに、穏やかで幸せな悟りのようなものを感じる。あたかも、喪がやわらぎ、純化し、和解して、消えることはないけれど深まったかのようである——「自分を取りもどした」かのように。

一九七八年八月一八日

なぜ、旅行に耐えられなくなってしまったのか？　なぜ、迷子のように、いつも「家に帰りたい」と思うのか？――マムはもう家にいないというのに。

マムと「話し」つづけること（存在しているから言葉をわかちあえるのだ）は、心のなかの会話としてなされるのではなく（彼女と「話した」ことはいちどもない）、生活様式としてなされるのである。わたしは、彼女の価値観にしたがって日々の生活をつづけようとしている。たとえば、彼女が作っていた料理を自分で作ることで少し復元したり、彼女の家事のやりかたを守ったりしている。彼女の家事は、倫理と美意識の融合であり、類いなき生きかたや日常生活のおくりかたであった。ところで、家事経験におけるこの「個性」は、旅行中は実践することができない――自宅でしかできない。だから旅行をすることは、彼女と離れることになる。彼女がいなくなった今は――彼女が日常生活のもっとも私的なものでしかなくなった今は――、いっそう離れることになってしまう。

一九七八年八月一八日

彼女が臥せっていて、そこで亡くなり、いまはわたしが寝起きをしている部屋のその場所。彼女のベッドの頭部をくっつけてあった壁に、イコンを置いた――信仰からではない――。そこのテーブルの上には、いつも花をかざってある。それゆえに、もう旅をしたくなくなっている。そこにいられるように、けっして花をしおれさせたりしないように、と。

一九七八年八月一八日

黙ってなされる日常生活の価値観を共有すること（料理、清潔さ、衣類、美しさ、それから、品々の由来のようなものを管理すること）。それが、わたしなりの彼女と（沈黙の）会話をするやりかたであった。——そうするうちに彼女はいなくなってしまったが、今もなお、そうすることができるのだ。

一九七八年八月二一日

実際のところ、鬱状態や、うまくいかないとき（旅行、社交界的状況、ユルトのいくつかの側面、密かな愛の要求など）の共通の特徴は、つぎのことであろう。すなわち、マムの代わりだと思われるようなものには――引きつぎによるものであろうとも――たえられない、ということである。

そして、あまりひどくないときというのは、彼女との生活（アパルトマン）のいわゆる延長の状況にあるときである。

一九七八年八月二一日

どうして、すこしでも後世に残ることや、わずかでも航跡をつけることを望んだりするだろう？　わたしがもっとも愛し、今もなお愛しているひとたちは、そういうものを残さないというのに、わたしや、何人かの過去の生き残りたちがなぜそう望むだろう？　わたし自身の生をこえて、歴史を偽る冷たい見知らぬ人のなかに残ったとして、何になるというのだ。マムの思い出は、わたしや、彼女を知っていたけれどやがては死んでゆく人たちよりも長く残ることはないのだから。わたしだけのためなら、「記念碑」など望みはしないであろう。

一九七八年八月二一日

悲しみとは自分勝手だ。

わたしは自分のことしか話していない。彼女のことを話して、彼女がどんなふうであったかを語り、心をゆさぶる人物描写（ジッドがマドレーヌについてしたような）[80]をすることができない。

（とはいえ、すべてはほんとうなのだ。おだやかさや、活力、気高さ、善意。）

一九七八年八月二一日

わたしの悲しみからもっとも遠くて、もっとも相容れないように思われること。それは、『ル・モンド』紙を読み、その手厳しくて情報通の方法に目をとおすことである。

一九七八年八月二一日

ＪＬに説明しようとした（だが、ひとことで終わってしまう）

生涯ずっと、子供のときから、マムといるのがよろこびだった。いつもいられるわけではなかった。Ｕでの休暇が楽しみだったのは（田舎はあまり好きではないけれど）、いつも彼女といっしょにいられるとわかっていたからだ。

一九七八年九月一三日

喪の
悲しみの
陰鬱な
エゴイズム（エゴチスム）

わが倫理81

——控えめでいるという勇気

——勇気がないままでいるのは勇気があることだ

一九七八年九月一七日

マムが亡くなってから、作品を書く大計画を実行にうつすために、必死の努力をしているにもかかわらず――あるいは、そのことによって――、自分への――わたしが書いていることへの――信頼が、だんだんと悪化してゆく。

（一九七八年一〇月三日）

彼女は、深い慎みゆえに身のまわりの品をまったく持たない、というのではなく（禁欲主義とはぜんぜんちがうから）、わずかな品だけを持っていた——自分が死んだとき、自分の所有物だったものを「処分する」必要がないように、と望んでいたかのようだ。

（一九七八年一〇月三日）

彼女がいないと、（なんと）時間が長い（ことか）。

一九七八年一〇月六日

［今日の午後、遅れている仕事[82]の困難を思って疲れはてた。コレージュで講義をする→世間の人が考えるおそれのあること→わたしの感じやすさ→「恐れ」。そうして以下のことを発見（？）する。］

「恐れ」。わたしのなかの中心的なものとして、つねに断言してきた——そして書いてきた。マムの亡くなるまえは、その「恐れ」とはマムを失う恐れであった。

そして失ってしまった今は？

あいかわらず「恐れ」ている。おそらく以前よりももっと。というのは、逆説的なことだが、以前よりもいっそう弱くなっているからだ（それゆえ隠遁したいという熱い思いが生じたのである。すなわち「恐れ」から完全にまもられた場所に至りたいという思いが）。

——では、今はなにを恐れているのか？——わたし自身が死ぬことか？　おそらくそれはある

――だが、それほどではないようだ――と感じている――。というのは、死ぬというのは、マムが経験したことだからである（彼女といっしょになる、という効用のある幻想）

――だから、じつはそれが、ウィニコットの精神病患者の、すでに起こってしまった破局を恐れることなのである。わたしはそれを自分のなかで、たくさんの代替物のもとにたえず繰り返しているのだ。

――それゆえ、すぐに、思考や決心でまったくわれを忘れる。

――その「恐れ」を追い払うために、自分が恐れているところに行くこと（涙もろさの徴候のおかげで、その場所を見つけるのは簡単だ）。

――マムについてのテクストの執筆を妨げたり遠ざけたりするものを、ひるまずに一掃すること。それが、「悲しみ」からの活動的な出発である。すなわち、「悲しみ」から「活動的なもの」に到達すること。

［テクストは、このカードにおいて、この「恐れ」の開始（産出、離脱）において、終わるべきであろう。］

（一九七八年一〇月七日）

マムの細かい特徴をわたし自身で再現している——のだと気づく。だから、わたしは、鍵や、市場で買った果物を忘れてしまう。

物忘れは、彼女の性格をしめすものだと思われていた（そのことを彼女がちょっと嘆いている声が聞こえる）。いまは、わたしが物忘れをしている。

一九七八年一〇月八日

死にかんして言うと、マムの死によって、わたしは、すべての人は死ぬ——けっして差別はないであろう——という確信をもった（今のところは抽象的だが）。そして、その論理によって死なねばならないのだという確信が、わたしの気持ちを和らげた。

一九七八年一〇月二〇日

マムの亡くなった日が近づいてくる。だんだん恐ろしくなる。その日（一〇月二五日）に、彼女がふたたび死なねばならないかのように。

一九七八年一〇月二五日

マムの死の一年めの日。

ユルトで一日をすごす。

ユルト、からっぽの家、墓地、新しい墓石（最期にはあれほど細くなっていた彼女にしては、墓面が高すぎるし、どっしりしすぎている）。わたしの心はくつろがない。冷淡で、内面からの慈愛がないかのようだ。一年めの日という象徴性は、わたしに何ももたらさない。

一九七八年一〇月二五日

トルストイの短編小説『神父セルギイ』のことをまた考える（最近、その映画も見たが、よくなかった）。最後の場面で、セルギイは子供時代に知っていた少女に再会し、安らぎを（「意味」をあるいは「意味の免除」を）見出す。少女は老婆マヴラ[83]になっており、外観や聖性や「教会」などの問題はいっさい考えることなく、ひたすら愛をもって家族に奉仕をしている。これはマムだ、と思った。彼女には、分析言語も気取りも、人から見られたいイメージもまったくなかった。それこそが「聖性」である。

「ああ、なんという逆説。これほど「知的」で、見ただけでもそうであるとわかるわたし。（擁護する）たえまない分析言語によって、これほど織りなされているわたし。そのわたしに彼女は、威厳をもって、非-言語を語るのである。」

（新たなつづき）　一九七八年一〇月二六日――一九七九年九月一五日

一九七八年一一月四日

この喪のメモを書くのが、まれになってきている。砂の山。なんだって？　冷厳になったというのか？　忘却か？（過ぎゆく「病気」だったのか？）だがそれでも……。

悲しみの沖——海岸を離れたので、何も見えない。だから書けなくなっている。

一九七八年一一月二二日

昨夜、わたしのスイユ社での出版二五周年[84]を祝うカクテル・パーティがあった。たくさんの友人たち。——満足かい？——もちろんだよ「でもマムがいない」。

あらゆる「社交生活」が、彼女のいない世界の空虚さをつのらせている。

たえず「悲しみで胸がふさがる」。

この悲痛な思いは、きょう、灰色の朝に、とてもつよくなった。思えば、昨夜、すこし離れて腰かけていたラシェルのすがたからきているのだ。彼女はカクテル・パーティを楽しみ、何人かとすこし話し、威厳をもって「ふさわしい位置」にいた。女性たちは、もうそんなふうにはできなくなっている。というのは、マムがそうであったような位置——今では失われて稀になっている威厳のようなもの——を女性たちは望まなくなっているからだ（マムは、絶対的な善意をもって、みんなのために、だが「ふさわしい位置に」いたのだった）。

（一九七八年一二月四日）

自分の悲しみについてだんだんと書かなくなっているが、ある意味では、書かなくなってから、悲しみはより強くなり、永遠なるもののなかに移行したのである。

一九七八年一二月一五日

苦悩やパニック状態（執拗な攻撃、仕事、文学での反感などによる）を背景にして、悲しみのかたまりが上がってくる。

一、まわりのたくさんのひとが、わたしを好いてくれて、集まってきてくれるけれど、だが誰も強くはない。みんな（わたしたちはみな）狂っていて神経症だ――RHのような程遠い人たちにしてももちろんそうだ。マムだけが強かった。なぜなら彼女は、いかなる神経症とも、いかなる狂気とも無縁だったからである。

二、講義を書きのこせば、そこからわが小説を書くことができる。そう思うと、マムの最期の言葉のひとつを悲痛な苦しみとともに考えてしまう。わたしのロラン！　わたしのロラン！　泣きたくなる。

「彼女のことから（「写真」や他のことから）なにかを書いてしまわないかぎりは、おそらくわたしはだめであろう。」

一九七八年一二月二二日

ああ。黙想や隠遁、「わたしにかまわないでください」[85]、といった深い願望を口にすること。この願望は、悲しみからまっすぐに、かたくなに、「終生変わらないもの」のように起こってくる――黙想というのは、じつに偽りのないものであるから、避けがたい小さな争いや、イメージのかけひき、痛手など、生き長らえるとどうしても生じることすべてが、深い水の表面にうかぶ塩からくて苦い泡にすぎなくなる……。

一九七八年一二月二三日

小さな幻滅、非難、威嚇、執拗な攻撃、失敗の思い、暗い時期、重い負担、「つらい仕事」など。そうしたことをマムの死と関係づけずにいられない。わたしを守ってくれる彼女がもういなくなったから——単純な魔力——というのではない。わたしの仕事はいつも、実際には彼女と関係なく続けられていた。だから、むしろ——でもおなじことか？——わたしが今、世間のことを修得するように追いつめられているということなのである。つらい手ほどき。生まれついたときからの不幸。

一九七八年一二月二九日

意気沮喪や、心の痛み、嫉妬の癖などを減じることもなく、続けていっている。心のなかにあるものすべてが、自分を好きではなくさせる。

自己価値低下の時期（喪によくあるメカニズム）。

いかにして心の落ち着きをとりもどせばよいのか？

一九七八年一二月二九日

複写をたのんでおいた写真をきのう受け取った。シュヌヴィエールの温室にいる少女のママの写真だ。それを目の前の、仕事机の上に置こうとした。だがやりすぎだ。耐えがたい。あまりにも苦痛だ。この映像は、わたしの生活における空虚で品位のない小さな闘いすべてとぶつかってしまうのだ。映像とは、まさに測定であり、裁き手である（一枚の写真がどのように聖化されて、人を導きうるかがやっとわかった→よみがえるのは同一性ではなく、その同一性のなかのわずかな表情、「徳性」なのである）。

一九七八年一二月三一日

悲しみはとても大きいけれど、わたしに及ぼす効果はというと（なぜなら悲しみとは即自的なものではなく間接的な効果の連続であるから）、心の澱、錆、堆積した泥のようなものである。つまり、心の苦み（怒りっぽさ、いらだち、嫉妬、愛の欠如など）なのだ。

↓ああ、なんという矛盾か。マムを失うことによって、わたしはマムがそうだったのとは反対の人間になっている。彼女の価値にしたがって生きたいと思うのに、その反対のことしかできない。

一九七九年一月一一日

……若やいでいるけれど皺のある彼女の頬に、軽く唇をふれることがもうけっしてできないという苦悩……

「ありふれたことだ

――「死」「悲しみ」とは、ありふれたものでしかない」

一九七九年一月一一日

いつも、あの苦しい思いがある。仕事、人びと、要望などがわたしをマムから引き離すという思いが。——わたしは「三月一〇日」[86]を待ちわびている。ヴァカンスになるからではなく、彼女を住まわせる自由を取りもどせるからだ。

一九七九年一月一七日

喪失の結果がすこしずつ明らかになっている。(エクリチュール以外は)新しいもの[87]をなにも、構築したくないということだ。友情、愛など、新しいものはいらない。

一九七九年一月一八日

マムが亡くなったときから、なにも「構築」したくなくなっている――エクリチュールはべつだ。なぜか？　文学とは、「高貴さ」の唯一の領域だからである（マムがそうだったように）。

一九七九年一月二〇日

遠くに――仕事机の上の、わたしの正面に――少女時代のマムの写真がある。それを見つめて、彼女の存在のあるがまま（それを描こうと苦闘しているのだが）をとらえさえすれば、そうすれば、彼女の善意をふたたび注ぎこまれて、そのなかに浸り、それに満たされ、浴していることができたのだ。

一九七九年一月三〇日

忘れるわけではない、
だが、無気力な何かがあなたのなかに住みつくのだ。

一九七九年二月二二日

わたしをマムから（彼女との一体化であった喪から）引き離すもの。それは、時間の（大きくなって徐々に積み重なってゆく）厚みである。彼女の死のときから、彼女なしで生きて、アパルトマンに住み、仕事をして、外出をすることなどができたという時間の厚み。

一九七九年三月七日

どうして、いくつかの作品や何人かのひとたち——たとえばＪＭＶ[88]——にしがみつき、くっついていることができないのか。わたしの生まれながらの（美的かつ倫理的な）価値観は、マムからきているということである。彼女の好きだったもの（好きではなかったもの）が、わたしの価値観を形成したのだ。

一九七九年三月九日

ママンと貧困。彼女の闘い、幻滅、気丈さ。英雄的な行為のない叙事詩のようなもの。

一九七九年三月一五日

自分が一年半前から歩んできた道をわたしだけが知っている。仕事によってたえずマムから引き離されていたという、不動で目立たないこの喪の構造。そしてじつは、一冊の本によってその別離を終わらせようとつねに計画していたということ——頑固さ、秘密裏。

一九七九年三月一八日

昨夜、悪夢をみた。マムとのいさかい。対立、苦悩、嗚咽。なにか精神的な理由で（マムの決断で？）わたしは彼女から引き離されていた。その決断はミシェルにもかかわっていた。彼女は頑なだった。

一九七九年三月一八日

彼女の夢をみるたびに（彼女の夢しかみないのだが）、彼女に会って、彼女が生きていると信じるのだが、でも彼女は別人のようで、すっかり違っている。

一九七九年三月二九日[89]

わたしは後世に残ることなど、いっさい気にかけずに生きている。死んだあとも読まれたいなどとは、まったく望んでいない（ただ金銭的にはMのためになりたいと思うが）。完全に消滅することを全面的に受け入れており、「記念碑」を残したいとはぜんぜん思わない——だが、マムもそうなってしまうということには耐えられない（彼女は書いたものを残さなかったので、彼女の思い出は完全にわたし次第だからであろう）。

一九七九年五月一日

わたしは彼女のよ、う、で、はなかった。なぜなら彼女といっしょに（同時に）死ななかったからである。

一九七九年六月一八日　ギリシアから帰って[90]

マムが亡くなってから、わたしの人生は思い出を作ることができなくなった。くすんでおり、「わたしは思い出す……」のもとになる震える輝きがないのだ。

一九七九年七月二二日

「計画[91]」のあらゆる「救出」は失敗している。もう何もすべきことがないし、自分の眼前にはいかなる作品もないように感じる——いつもの繰りかえしの仕事をのぞいては。「計画」している形式はどれも軟弱で、耐久性がなく、エネルギー係数が低い。「それが何になるのか？」と。

——あたかも、作品をつくる可能性にたいする喪の厳粛な影響が、いま、明確に現れ出たかのようである（つぎつぎと生じる幻想によって今までは延期されていたのだが）。大きな試練。発展をとげて中心的となった試練、喪が決定的となっている試練。

一九七九年八月一三日

つらい滞在をしたあと、ユルトを離れる。列車で、ダックスあたりに来たとき（その南西部の光[92]と、わたしは人生をともにしたのだ）、絶望し、マムの死を思って、涙した。

（一九七九年八月一九日）[93]

いかにマムが、内面化した掟（気高さのイメージ）をわたしたちにあたえて、欲求や物の嗜好にわたしたち（Mとわたし）が近づきやすいようにしてくれたことかということ。その逆が「根源的で内面的な、とげとげしくて絶えることのない困ったもの」[94]であり、それがフロベールに何かを味わうことを妨げ、彼の心を破裂させんばかりにいっぱいにしていたのだ。

一九七九年九月一日

ユルトから飛行機で帰る。[95]

苦しみ、悲しみは、あいかわらず強いが、しかし言葉にならない……(「わたしのロラン、わたしのロラン」)。

——わたしはユルトにいると、悲しくて不幸だ。

——では、パリでは幸せなのか? いや、それは罠だ。あることに逆らうことをしても、反対のことにはならないのだ……。

わたしは不幸であった場所を離れたが、そこを離れても幸せにはならなかった。

一九七九年九月一日

ユルトに滞在するたびに、到着したときと出発するときにマムの墓を見に行くのが――象徴的に――やめられない。だが、墓の前に来ても、何をすればいいのかわからない。祈る？　それがどういう意味になるのだろう？　なにを祈るのか？　たんに、心の中をわずかのあいだ態度に見せるだけだ。だから、わたしはすぐに立ち去る。

（しかも、この墓地にある墓といったら、田舎風なのだが、とても醜くて……）。

一九七九年九月一日

悲しみ、どこにいても居心地がよくないこと、圧迫感、いらだち、その結果として生じる後悔。そうしたことすべてが、パスカル[96]のもちいた「人間の悲惨」の言葉のもとにある。

一九七九年九月二日

午睡。夢。まさしく彼女のほほえみ。
夢は、完全で、すばらしい思い出だ。

一九七九年九月一五日

とても悲しい朝がある……。

日付のない断章

［マムの死のあと］

苦しくて、これからは——行動することが——不可能だ……

自殺

死んだら、もう苦しまなくなる、なんて、どうしてわかるのか？

かつて、自分の死について想像できることをあげてみたとき（みんながそうするものだから）、早死にすることへの不安とおなじく、彼女に耐えがたい不幸をあたえるという不安も思ったものだ。

稀なことについて。――わたしたちが口にすることや言葉は、取るに足りないものであったけれど、でも、けっして陳腐なことや愚かなこと――失言――ではなかった……。

「自然」

田舎の出身ではないのに、彼女がいかに「自然」を、すなわち「自然なもの」を愛していたかということ。「公害反対」というふるまいではまったくなかったけれど——そういう世代ではなかったから——。すこし雑然とした感じの庭にいると、彼女は満足していた……。

マムについてのメモ

一九七九年三月一一日

エレーヌ・ド・ヴァンデルは並みはずれた繊細さをもつ（社交界の）女性ですよ、とＦＭＢ[97]がどうしてもわたしに紹介したがっている。だが、わたしにはまったく興味がない。というのは、——たしかにわたしは人びとの繊細さに飢えているけれど、しかし同時に、マムが社交界やその種の女性にまったく関心がなかったことも知っている。マムの繊細さは、完璧に（社会的に）場所を問わないものだった。階級を超越しており、ブランドをもっていないのだ。

一九七七年四月一五日

午前中に来る看護婦は、マムにむかって、子どもにたいするように話す。すこし強すぎる声で、しつこく、口やかましく、愚直なふうに。マムが彼女の判定を下していることも知らないで。

「それが愚かさというものだ」

母親の知性について語られることはまったくない。そんなことをすると、母親の情愛を減じて、母親を遠ざけてしまうことになるかのようだ。だが知性とは、ひとりの人間とこのうえなく生きてゆくことを可能にするすべてなのである。

——マムと宗教

——彼女はけっして口にしなかった

——バイヨンヌの集まり（どのような？）に愛着があった

——少数派への好意？

——非‐暴力

一九七八年六月七日

キリスト教とは、「教会」である。そうなのだ、わたしたちはとても反発していた。「教会」が、「政府」や「権力」、「植民地主義」、「ブルジョワジー」などと結びついていたときには。

だが、先日、じつのところは……という類のことを意識するようなことがあった。またもや教会か？　だが教会とは、イデオロギーや道徳を騒ぎたてるなかにあって、まだすこしは非‐暴力を考えている唯一の場所ではないのか？

しかしながら、わたしには、「信仰」（と、もちろん「過ち」の意識）とのつらい別離の気持ちがなお残っている。だが、それは重要なことなのか？　暴力のない（戦闘的態度もなく、熱心な勧誘もない）「信仰」であれば？

（教会）キリスト教徒は、勝利者から惨めな者たちになってゆく（そうではあるが、しかしアメリカ合衆国はどうなのか？　カーター[98]たちがいるのに)。

アルド・モロ事件[99]。殉教者よりはましだが、英雄ではなく、惨、め、な、者、である。

慎み深さのかたちについて。
ものごとを自分でやって、ほかの人にやってもらわないこと
経験における自給自足体制
情愛による絆

いかに、愛するひとが仲介者となって、情動をもとに重要な選択を生みだすかということ。

なぜ、わたしはファシズムにぞっとするのだろうか。

——女性の調停者

——戦闘的態度——思想など——がどこに立脚しているのか、わたしにまったくわからなかった。

思想の力も（というのは懐疑的なわたしにとっては真実の審級がないからだ）。

——わたしと暴力の関係。

なぜわたしは、暴力の正当化には（たぶん真実性さえにも）けっして同意しないのか。なぜなら、わたしが対象となる暴力が、彼女におよぼしたであろう、およぼすであろう不幸に耐えられない（耐えがたい）からである（耐えられなかった、というべきだが、彼女は亡くなったので、おなじことだ）。

マムについて語ること。なんだって、アルゼンチンや、アルゼンチンのファシズム、監禁、政治的な拷問などを語ることが？

彼女は、それらのことに傷ついたであろう。彼女が、死亡者の妻や母のひとりとなって、あちこちでデモをしていると想像すると、ぞっとする。もしわたしを失ったとしたら、彼女はどんなにか苦しんだことだろう。

全面的な存在
　　　絶対的である
重さはまったくない
重さのない濃密性

はじめること。[100]

「いっしょに暮らしていたあいだずっと——生涯ずっと——母はいちども小言、小言をいわなかった」。

マムは、いちどもわたしに小言、小言をいわなかった——だから、わたしは小言には耐えられない。

（FWの手紙を参照のこと）

マムは、（生涯ずっと）、攻撃性がなくて狭量さもない空間であった——けっして、わたしに小言、小言、（この言葉とそのことがらをわたしは嫌悪する）をいわなかった。

（一九七八年六月一六日）

ほとんど知らない女性なのだが、会いに行かねばならない。そのひとが、わたしに電話をかけてくる（わたしのじゃまをして、時間をとらせる）。どこそこのバス停で降りなさい、道路を横断するときは気をつけなさい、夕食まで居残らないでください、などと無駄なことを言う。

けっして母は、そんなことは何も言わなかった。分別のない子どもに向かって言うようには、彼女はけっしてわたしに話さなかった。

アンダイユ

彼女はあまり幸せではなかった
遺産だったのである。[101]

訳註

1　キューバ出身の作家セヴェーロ・サルデュイ（一九三七―九三）のことであろう。サルデュイはバルトの非常に親しい友人であり、バルトは彼の作品を擁護して、評論をいくつか書いている。たとえば、七三年には小説『コブラ』（荒木亨訳）について『テクストの快楽』（沢崎浩平訳）のなかで言及しているし、七七年にはサルデュイの戯曲『砂浜』の上演に際して劇評を書いている（『ロラン・バルト著作集』第九巻所収、中地義和訳）。

2　精神分析医ロラン・アヴァスのことであろう。彼もバルトの友人であり、七六年には『エイナウディ百科辞典』のなかの項目「聴くこと」を共同執筆している（『第三の意味』所収、沢崎浩平訳）。精神分析を専門とするアヴァスだからこそ、愛する人を失ったあとの「喪の作業」のことを意識していたものと思われる。

3　母の死から約一年後の一九七八年一〇月一九日に、バルトはコレージュ・ド・フランスでの講演で、つぎのように語っている。「自分が死を免れないのは知っていましたが、突然、自分は死ぬのだと感じるのです（これは自然な感情ではありません、自然なのは、自分は死なないと思うことです）」（「長いあいだ、わたしは早くから床についた」『テクストの出口』所収、沢崎浩平訳）。

4　バルトは母のことを日常的には「ママン」と呼んでいたが、日記のなかでは「マム」と書いていた。

5　一九六一年にバルトの母はフランス南西部のユルトに別荘を買い、それからは休暇をその別荘ですごすようになった。ユルトは、バルトが子供時代をすごしたバイヨンヌから二〇キロほどのところにある。この別荘での生活については、『彼自身によるロラン・バルト』（佐藤信夫訳）や「南西部の光」（『偶景』所収、沢崎浩平訳）などで語られている。またエリック・マルティの「ある友情の思い出」（『ロラン・バルトの遺産』所収、石川美子訳）でも詳述されている。一九七七年一〇月にバルトの母がユルトの墓地に葬られたあと、八〇年三月にはバルト自身もおなじ墓に葬られることになる。

6　バルトの弟子であり、若き友人でもあったジャン＝ルイ・ブットのことである。ブットについては、マルティ「ある友情の思い出」のなかで詳しく紹介されている。

7　「きめ」についてバルトは、一九七三年に『テクストの快楽』のなかで「声のきめとは、響きと言語とが官能的に混じったものである」と語っている。また七二年の論文「声のきめ」では、歌曲における声の問題について論じ、「きめとは、歌う声における、書く手における、演奏する肢体における身体である」と述べている（『第三の意味』所収）。

8　一九三七年にラルース社から出された『大メメント百科事典』（全二巻）のことであり、第二巻の「実生活」の章に「喪」の項目がある（*Grand Mémento encyclopédique Larousse*, 1937）。

9　ミシェルとは、バルトの異父弟ミシェル・サルゼドのことである。

10　中枢神経系に散在的に生じる疾患であり、まちまちに発病して、軽減と悪化とをくりかえす。

11　エリック・マルティ（一九五五―　）のことである。彼は晩年のバルトの弟子であり親しい友人でもあった。バルトの死後は、『ロラン・バルト全集』（一九九三―九五）の編集や『コレージュ・ド・フランス講義ノート』

（二〇〇二―三）の監修などをおこなっている。二〇〇六年には著書『ロラン・バルト　書く仕事』を刊行し、そのなかの「ある友情の思い出」において、晩年のバルトの姿を詳しく細やかに描きだした（『ロラン・バルトの遺産』所収）。

12　ユニプリは、フランスのスーパー・チェーン店である。一九九七年にライバル社のモノプリに買収された。

13　フィナンシエとは、卵白に薄力粉とアーモンドパウダーを入れて作る小形のスポンジケーキである。

14　一九五七年にバルトは、バリトン歌手ジェラール・スゼーの歌を「慎みを欠いたブルジョワ芸術」だと批判していた（『ロラン・バルト著作集』第三巻『現代社会の神話』の「ブルジョワの声楽芸術」、下澤和義訳）。なお、＊印と「＊かつては……」の一行は、バルトがのちに鉛筆で書き加えたものである。

15　『彼自身によるロラン・バルト』において、本文のなかでは母のことはほとんど語られていないが、本の冒頭に母の五枚の写真が掲載されている。

16　社会学者のヴィオレット・モラン（一九一七―二〇〇三）のことであろう。ヴィオレットはエドガー・モランの妻であり、バルトとは一九五〇年代に知り合い、その後ずっと親しい友人でありつづけた。

17　パリの西部近郊にある町。

18　『明るい部屋』（一九八〇年）のなかでバルトはつぎのように書いている。「母の病気のあいだ、わたしは母の世話をし、紅茶カップより飲みやすいので母の気に入っていたお椀をもって飲ませてあげていた。母はわたしの小さな娘になっていた」（第二九章「少女」、花輪光訳）。

19　イスラム教の祝日。アブラハムが息子イシュマエルを神への犠牲として捧げたことを記念する日であり、日本では「犠牲祭」と意訳されることもある。したがって「喪」なのである。

20　この一九七七年夏の日記の一部を、バルトは七九年にエッセー「省察」のなかで発表している。その日記においてバルトは、母の病気の悪化への不安を、書くことで紛らわそうとしていたようである。たとえば七月一三日の記述には、つぎのような文がある。「暗い考え、恐れ、不安。わたしは大切なひとの死を見る、そのことで取り乱す、など」(『テクストの出口』所収)。

21　チュニジア中南部の中心都市であり、地中海に面している。

22　コレージュ・ド・フランスでの講義「中性的なもの」が一九七八年二月一八日から始まることになっていた。バルトは毎年、講義のはじまる一か月まえにはその年度に話すことすべてをノートに書き終えておく習慣があった。したがって、「中性」の講義開始まで二か月半となったこのとき、早く講義ノートを書かねばならないという焦りがあったことであろう。

23　七八年二月一八日にバルトは「中性的なもの」の第一回の講義で、こう語っている。「この講義のテーマを決めた時点(昨年の五月)と講義の準備をしなければならなかった時点とのあいだに、わたしの人生において深刻なできごとが、ひとつの喪が起こりました。『中性的なもの』について語ろうと決めたかつての主体と、これから語ろうとしている主体とは、もはやおなじではないのです」(『ロラン・バルト講義集成二　〈中性〉について』塚本昌則訳)。したがって、ここにある「中性」と「現在」とは、「中性」というテーマと、現在の喪の状態ということであろう。

24　アントワーヌ・コンパニョン(一九五〇―　)のことであろう。コンパニョンは晩年のバルトの弟子であり、親しい友人でもあった。七七年にスリジー＝ラ＝サルでおこなわれたシンポジウム「ロラン・バルトをきっかけに」では、二七歳の若さで、主催者役をつとめている。現在は、コレージュ・ド・フランスの「フランス近現代文学」講座の教授である。バルト論としては、二〇〇二年の「ロラン・バルトの〈小説〉」(『ロラン・バルトの遺産』所収、中地義和訳)などがある。

25 キェルケゴールは『おそれとおののき』のなかで、アブラハムが何も言わずに息子イサクを神の犠牲にしようとした場面について、「わたし［アブラハム］が語るやいなや、一般的なことを表現してしまい、もしわたしが黙ると、誰もわたしを理解することができない」と語っている。この「一般」化のくだりをバルトは好んでおり、いくどとなく言及していた。たとえば、一九六五年の「シャトーブリアン『ランセの生涯』」(『新＝批評的エッセー』所収、花輪光訳)や、七七年の講演『文学の記号学』(花輪光訳)などがそうである。母の死後も、コレージュ・ド・フランスの講義でなんどか(七八年二月二五日、三月一一日、七九年一二月八日など)ふれている(『ロラン・バルト講義集成二 〈中性〉について』、『講義集成三 小説の準備』石井洋二郎訳)。

26 作曲家ジョン・ケージ(一九一二―九二)の対談集『小鳥たちのために』(青山マミ訳)をバルトは愛読しており、コレージュ・ド・フランスの講義においても、しばしば言及している。とりわけ何度も引用している箇所は、「音楽ではあらゆることが――組織することも組織解体もが、おおいにありえます。［…］組織をふやすことさえ可能です。どちらにしても全体は組織のない状態になるでしょう」であり、これは七八年の講演「長いあいだ、わたしは早くから床についた」においては、持続という「時間」の解体を語るために引用されている。

27 バルトの晩年のテーマである「新たな生」の登場である。すでに彼は一九七七年一月のコレージュ・ド・フランス教授就任講演において、この言葉を口にしていた。「［歴史家］ミシュレは五一歳のとき、新たな生、つまり新たな仕事や新たな愛を始めました。彼よりも年をとっていますが、わたしもまた新たな生に入るのです」(『文学の記号学』)。しかしその「新たな生」は、母の病気の悪化によって遠ざかってしまった。母の死後になって、暗い喪のなかで、バルトはふたたびこの言葉をつぶやいたのだった。とはいえ、「新たな生」がはじめて公に語られるようになるのは、それから一一か月近くもたった七八年一〇月一九日の講演「長いあいだ、わたしは早くから床についた」においてであった。

28　エミリオは、モンパルナスにあった小さなレストランで、客には映画関係者が多かった。フランソワ＝マリー・バニエ（一九四七―　）は作家・写真家であり、当時の有名人で、何本かの映画にも出演している。

29　ユセフ（バクーシュ）は、バルトのもっとも親しい友人のひとりであり、しばしばバルトたちはユセフの家に集まって夜を楽しむのが習慣となっていた。

30　ラシェルは、バルトの異父弟ミシェルの妻である。

31　ユセフ・バクーシュの家でひらかれる、友人たちとの夕食会のことである（註29を参照）。

32　ドイツ歌曲を聴くとなぜ悲しくなるのかという点については、バルトが「ロマン派の歌」（一九七七年）のなかで書いていた文が参考になるであろう。「歌曲を聴きながら、わたしは自分で自分のために歌っています。自分のなかで、ひとつのイメージに、愛するひとのイメージに語りかけているのです」（『第三の意味』所収）。

33　この日に、コレージュ・ド・フランスでの一九七八年度の講義「中性的なもの」がはじまった。講義のあとは、友人や学生たちと昼食をとるのが習慣であった。その「社交」的な昼食において、バルトはさまざまな苦痛をあじわい、傷ついたであろうことが、この日の二ページの日記からかいま見ることができる。

34　弟のミシェルのことである。

35　バリトン歌手シャルル・パンゼラの妻でピアニストのマドレーヌ・パンゼラ＝バイヨのことである。バルトは二〇代のときにシャルル・パンゼラから声楽を習い、それ以来、パンゼラを敬愛しつづけて、「ブルジョワの声楽芸術」(『現代社会の神話』所収)、「声のきめ」と「音楽、声、言語」(『第三の意味』所収)などでパンゼラについて論じている。パンゼラは、一九七六年六月六日に八〇歳で亡くなったので、それから二年近くがすぎての夫人の言葉なのであろう。

36 母の写真をめぐる作品『明るい部屋』の構想がだんだんと明確になっていることがうかがえる。

37 一九五二年に発表した「プロレスする世界」をさす(『現代社会の神話』所収)。

38 日本についての『記号の国』(石川美子訳)をさす。

39 オリヴィエ・ビュルジュランのことであろう。ビュルジュランはマスコミュニケーション論を専門としており、一九六〇年代前半から九〇年代まで『コミュニカシオン』誌の編集実務をつとめた。

40 ロラン・アヴァス(註2を参照)のことであろう。『恋愛のディスクール』の本には、「RH」という注記がなんども登場している。

41 コレージュ・ド・フランスにおける一九七八年の講義ではバルトは、「中性的なもの」が見られる言説を二〇ほどの型に分類して説明している。講義年度の終わりに『コレージュ・ド・フランス年報』に掲載された講義概要をみると、それらの型はふたつのグループに分けることができ、それは「争いを引き起こすもの(断言、形容詞、怒り、傲慢など)」と「争いを中断するもの(好意、疲労、沈黙、繊細さ、眠り、揺れ動き、隠遁など)」の二つであるとされている(「中性的なもの」『ロラン・バルト著作集』第一〇巻所収)。

42 高等研究院での同僚ユベール・ダミッシュ(一九二八―　)であろう。ダミッシュは、一九七五年から九六年まで高等研究院で美術史を教えていた。

43 一九四一年製作の映画で、フランスでの公開タイトルは『まむし』、英語の原題は『子狐たち』だった。日本での公開タイトルは『偽りの花園』である。

44　この思いをバルトはやがてはっきりと語るようになる。まず、一九七八年の講演「長いあいだ、わたしは早くから床についた」では、「自分の愛するひとたちについて語ることは、彼らが空しく生きた（しばしば苦しんだ）のではないと示すことになるのです」と述べる。また、八〇年の『明るい部屋』では、こう書いている。「ヴァレリーが母の死に際して望んだように、わたしは《自分だけのために母についてのささやかな本を書こう》と思った（いつか、わたしはそういう本を書くだろう。印刷されれば、わたしの名が知られているあいだだけでも、母の思い出が消えずに残るだろうから）」（「第二五章」）。

45　復活祭の休暇のために、コレージュ・ド・フランスでの講義は四月一日のあとは四月二九日まで行われていない。そのあいだに、バルトはモロッコに滞在した。このとき、彼は「一九七八年四月一五日」の回心を経験し、作品を書く決意をするのである。その回心については、バルトは翌年のコレージュ・ド・フランスでの講義でつぎのように語っている。「一九七八年四月一五日。カサブランカ。午後のけだるさ。曇り空で、すこし肌寒い。わたしたちはグループで二台の車に分乗して、滝に向かう（ラバトへ通じる道の美しい渓谷）。悲しみ、倦怠のようなもの、（最近の喪以来）絶えることのない同じもの、わたしがすることや考えることすべてに向けられるもの（心的エネルギーの欠如）。［……］わたしはかなり一生懸命に考える。ひとつの考えが生まれる。文学的回心のようなもの。［……］文学に、エクリチュールに入ること。いまだかつて書いたことがなかったように書くのだ。もはやそれしかしないこと」（『ロラン・バルト講義集成三　小説の準備』石井洋二郎訳）。しかし、そのような回心が日記のなかでかいま見られるようになるのは、五月八日の記述からである。

46　この「喪」という言葉は、あとでタイトルをつけようとするかのように、鉛筆によってカードの左上端に加筆されていた。以下のページ冒頭の「喪」は、すべてそうである。

47 ルイ・ガルデ(一九〇四―八六)は、哲学者・神学者・神秘主義者であり、イスラム研究の著作も多い。この『神秘学』(一九七〇)は、インド、仏教、キリスト教、ユダヤ教、イスラム教それぞれの神秘学の比較論である(Louis Gardet, *La Mystique*, PUF, 1970)。

48 この日のメモは、『明るい部屋』のなかに取り入れられることになる。「わたしは思う。母はこれから死のうとしている、と。わたしはウィニコットの精神病患者のように、すでに起こってしまった破局に戦慄する」(「第三九章」)。なお、ウィニコット(一八九六―一九七一)はイギリスの小児科医・精神分析学者で、バルトが言及しているのは、七五年にフランス語訳が出された論文「崩壊の恐怖」である(Donald Woods Winnicott, "La crainte de l'effondrement", *Nouvelle revue française de psychanalyse*, no. 11, 1975)。

49 クリスチャン・ジオン監督の映画(一九七八年公開)で、南仏出身の男女がパリに出て、男は政治家に、女は娼館の主人になるという話である。

50 一九三三年末から三四年初頭にかけて起こった疑獄事件。地方の信用金庫の倒産から自殺(殺人)事件に発展し、政界要人を巻き込んで、内閣が総辞職し、新内閣も一週間で総辞職するという大事件になった。

51 ラ・ユヌは、パリのサン=ジェルマン=デ=プレ界隈にある書店である。

52 この日のメモは、『明るい部屋』のなかで次のように語られることになる。「わたしが持つことのできる唯一の《考え》は、その第一の死[母の死]の先には、わたし自身の死が刻まれているということだ。ふたつの死のあいだには、もはや待つことしか何も残されていない」(「第三八章」)。

53 ジャン=ルイ・ブットとエリック・マルティ(註6と註11を参照)は、『ユニヴェルサリス百科辞典』の一九七八年度別冊『ユニヴェルサリア一九七八』の項目「ロラン・バルト」のなかで、「バルトのテクストには、つねに強度の至高善がある」と書いている（"Figures de l'année; Roland Barthes", *Universalia 1978: les événements, les hommes, les problèmes en 1977*）。

54　一九七八年一〇月の講演「長いあいだ、わたしは早くから床についた」でバルトは、この思いについてつぎのように述べている。「自分がなしたこと、仕事をしたこと、書いたことが繰り返しにすぎないと思われるときがやってくる。まったく、死ぬまでずっと、論文を書き、講義や講演をするのか！　と［……］」。また、同年一二月二日のコレージュ・ド・フランスでの講義においても、おなじことを語っている。

55　一二月二日の講義で「一九七八年四月一五日」の回心について語ったとき、そのあとバルトはつぎのように続けている。「まず、コレージュを辞任してエクリチュールの生活を一本化しようという考えが不意にうかんだ（講義はしばしばエクリチュールに抵触するからだ）。つぎに、講義と仕事をおなじ（文学的）企図に投入して、唯一の計画、大計画のために主体の分裂を終わらせようという考えがうかんだ」。このメモを書いた六月五日の時点では、「コレージュを辞任する」ことを考えていた段階にあったのであろう。

56　コレージュでの一九七八年一二月からの講義は「小説の準備」であり、副題は「生から作品へ」であった。

57　一九七八年四月二〇日から七月二三日まで、パリのグラン・パレで「セザンヌ　その晩年」の展覧会が開催された。またACとは、前述のアントワーヌ・コンパニョンのことである（註24を参照）。

58　フランソワ・ヴァール（一九二五―　）のことであろう。ヴァールはスイユ社の元編集者であり、当時はバルトの担当編集者で、親しい友人でもあった。

59　パリ一五区のラーヴル通りには、バルト家が親しくしていたプロテスタント教会がある。バルトの母はプロテスタント信者であったので、彼女の遺品は教会に寄付されることになった。

60 弟ミシェルと、その妻ラシェルである。

61 フィリップ・バンジェは、母アンリエットの二歳上の兄である。この「温室の写真」は『明るい部屋』の中心をなしており、とくにその第二八章で詳しく語られている。

62 クロード・モポメは、国営ラジオ「フランス・ミュージック」局において、「コンセール・エゴイスト」と「どのように聴きますか？」の番組の制作をしており、それらの番組にバルトをゲストとして招待していた（バルトが出演した「コンセール・エゴイスト」の放送は一九七八年一月一五日、「どのように聴きますか？」は七九年一〇月二一日であった）。

63 ジョージ・D・ペインターによる伝記『マルセル・プルースト』のことであり、邦訳は『マルセル・プルースト——伝記』（岩崎力訳）。引用文は邦訳では五〇—五二ページにあたり、翌日の引用文は三三一ページである。

64 セレスト・アルバレは、晩年のプルースト（一九一三年から二二年まで）の使用人であり、献身的に彼に仕えていた。一九七三年には、回想録『ムッシュー・プルースト』（三輪秀彦訳）を出版している。

65 キリスト教では、ここで最後の審判がおこなわれるとされている。

66 モロッコの大西洋岸の観光都市で、タンジールとラバトの中間あたりに位置する。

67 プルースト『失われた時を求めて』「ソドムとゴモラII　第一章」にあたる。

68 モロッコのアル・ジャディーダ市の東三〇キロほどのところに位置する町。

69 ワジとは、雨期にしか水の流れない季節河川である。なおバルトは、ワジの若者たちについて「偶景」のなかで次のように書いている。「裸の若者がふたり、ワジをゆっくりと渡った。くるんだ衣類を頭にのせて」（『偶景』

所収、沢崎浩平訳)。「偶景」のテクストは、バルトの死後に刊行され、一九六九年に書かれたものだとされたが、内容から見ると、最晩年に書かれた(あるいは加筆された)ことは明らかである。したがって、この一九七八年のモロッコ旅行が反映されていると言えるであろう。

70 バルトは、『明るい部屋』の構想を書きとめたメモカードにおいて、「写真」を省略して「Φ」と記していた。たとえば「マムのΦ」というように。この点については以下の研究論文がある。Jean-Louis Lebrave, "Point sur la genèse de *La Chambre claire*", *Genesis*, no. 19, 2002.

71 アンリ・ボネ著『一九〇七年から一四年のマルセル・プルースト』をさす(邦訳はない。Henri Bonnet, *Marcel Proust de 1907-1914*, Nizet, 1971)。

72 ジョルジュ・ベルナノス(一八八八—一九四八)の小説『田舎司祭の日記』(一九三六年)に登場する伯爵夫人(「母」)のことである。彼女は、幼くして死んだ息子への愛ゆえに、神にも他者にも心を閉ざしてしまった。

73 プルースト『サント=ブーヴに反論する』のことであるが、ただし、ここではバルトは一九五四年に出されたファロワ版をさらにポケット版にしたものを用いており、このファロワ版には邦訳はない(Marcel Proust, *Contre Sainte-Beuve*, édition par Bernard Fallois, Collection «Idées-Gallimard», 1965)。

74 プルーストの原文では、「彼女のユダヤ人的な顔の美しい輪郭……、キリスト教徒の穏やかさと、ジャンセニストの勇気とがはっきりと刻みこまれて……」である。バルトは原文の「ユダヤ人的な」を取り去って、かわりに、バルトの母の宗教をしめす「プロテスタントの」をつけくわえている。

75 『プルースト全集　一五』「ある祖母」(若林真訳)。なお、引用文中の強調部分は、バルトの手による。

76 『失われた時を求めて』「花咲く乙女たちのかげに二」のなかで、ラ・ブリュイエールの言葉として次の文が引用されている。「愛するひとのそばにいると、話をしても、まったく話をしなくても、おなじことである」。

77　一九七八年にロジェ・ミュニエによるアンソロジー『俳句』が刊行されたことは、バルトにとってうれしいことであった。コレージュ・ド・フランスの講義で七九年一月六日に配付した俳句集六六句のうち、一八句がミュニエの本よりひかれたものであった（Roger Munier, *Haïku*, Fayard, 1978）。

78　八月一五日は、フランスでは休日である（聖母被昇天祭）。この年は、八月一二日は土曜日にあたり、したがって一二日から一五日まで四連休となった。

79　この引用は、イヴ・ボンヌフォワによる序文からのものであるが、芭蕉『鹿島詣』のなかには、該当する文は見当たらない。それらしき箇所としては、「ただあはれなるけしきのみむねにみちて、いふべきことの葉もなし」ぐらいであろうか。

80　アンドレ・ジッドは、一九三八年に妻マドレーヌが亡くなると、深い悔恨と孤独をこめて『今ヤ彼女ハ汝ノナカニアリ』を書いた。

81　このカード全体が、大きく斜めの線を引いて消されている。

82　この約二か月後の一二月二日にはコレージュ・ド・フランスでの講義が始まることになっており、その一か月ほど前には講義の準備を終えておく必要があった。

83　これはバルトの勘違いで、この老婆の名前は、正しくは「パーシェニカ」である。「マヴラ」はストラヴィンスキーの歌劇『マヴラ』の登場人物の名前である。

84　バルトの最初の著書『零度のエクリチュール』は一九五三年にスイユ社から出された。

85　バルトは、このころ『ヌーヴェル・オプセルヴァトゥール』誌にコラム「クロニック」を連載しており、一九七八年一二月二三日付には次のように書かれている。「けさ、郵便で、ワッペンをひとつ受け取った。［……］すぐに、べつのワッペンをはっきりと見えるようにつけようと、と思いつく。『わたしにかまわないでください』と」（『ロラン・バルト著作集』第一〇巻「クロニック」）。

86　コレージュ・ド・フランスでの一九七八―七九年度の講義が終わる日である。

87　一九七八年一〇月の講演「長いあいだ、わたしは早くから床についた」においてバルトは「ものを書く人間、書くことを選んだ者にとって、新しいエクリチュールの実践の発見以外に〈新たな生〉はありえない」と語っている。コレージュ・ド・フランスでの一二月二日の講義でも、まったく同じことを語っている。

88　このイニシャルが誰をさすかについては、いっさいわかっていない。

89　この約二週間後に、バルトは『明るい部屋』の執筆を始めることになる。

90　『明るい部屋』は、本文の最後に記された日付けによると、一九七九年四月一五日から六月三日までの二か月たらずで集中的に執筆されたようである。それゆえ、この間には「喪の日記」は五月一日にしか書かれていない。そして、六月三日に書き終えたあと、ギリシアに出発したようである。

91　『新たな生』と題する小説を書く計画のことである。

92　一九七七年にバルトはエッセー「南西部の光」を書いている（『偶景』所収）。

93　この日のあと、バルトは八月二一、二二、二三、二六日に小説『新たな生』の草稿を五枚こころみている。それからユルトに出かけ、ユルトから帰った直後の九月二日と三日にもまた二枚の草稿をこころみている（『ロラン・バルト著作集』第一〇巻所収）。

94　フロベールが恋人ルイーズ・コレに宛てた一八四六年一二月二〇日付の手紙の言葉である。

95　「パリの夜」のなかの九月二日の日記には、つぎのように書かれている。「きのうの午後、ユルトから帰ってきた。飛行機は愚かな乗客で満員だった。子供や家族連れ、わたしの隣で紙袋に吐いた女、システラ［籠状ラケット］を持って帰る少年。わたしは座席で縮こまり、座席ベルトさえはずさず、身動きせず、パスカルの『パンセ』をすこし読んだ」。

96　「パリの夜」のなかの九月二日の日記には、パスカルについて次のように書かれている。「『人間の悲惨』のくだりに、わたしの悲しみ全体、マムのいないユルトでの『胸がふさがる思い』を見いだす」。

97　フランソワ＝マリー・バニエのことであろう。バニエについては、註28を参照。

98　ジミー・カーターは、この日記が書かれた前年からアメリカの大統領であった。彼は、敬虔なバプテスト派キリスト教徒として有名である。

99　アルド・モロは、イタリア政界の重要人物で、大臣や首相を歴任したが、一九七八年三月に極左テロリストに誘拐され、政府が取り引きを拒否したために殺害されて、五月九日に死体で発見された。

100　「はじめること」とは、『明るい部屋』の執筆をはじめること、という意味であろう。したがって、そのあとの三つの文は、『明るい部屋』の文章として推敲したものだと考えられる。結局、最終的には、つぎの文となった。「母は、わたしたちが一緒に暮らしたあいだずっと、ただのいちども〈小言〉をいわなかった」（第二八章）。

101　アンダイユは、フランス最南西のスペイン国境に位置する町であり、大西洋に面した観光地でもある。アンダイユには、バルトの祖母（母の母のノエミ・レヴラン）の別荘があった。一九五五年に祖母が亡くなったあと、バルトと母はしばらくアンダイユで休暇をすごしていたが、六一年にこの別荘を売却し、ユルトにべつの別荘を買った。

解説

一九八〇年の春にロラン・バルトが亡くなったとき、彼の遺品からさまざまな原稿が見つかった。原稿の種類は、おおよそ三つにわけることができた。ひとつは、出版のためにタイプライターできちんと清書されたタイプ稿。それから、A４サイズの紙に書かれて、加筆や訂正などがくわえられている手書きの草稿。そして、草稿を書きはじめるまえのアイディアやメモを書きとめたカード類、である。それらの原稿は、バルトの弟ミシェル・サルゼドの手によって一九九六年にイメック（ＩＭＥＣ＝現代刊行物研究所）におさめられ、現在もなお厳重に保管されている。イメック——現在は北フランスのカーン市近郊にある——には一般閲覧室があって、研究者は予約をすればバルトのタイプ稿と草稿を閲覧できるようになっている。しかしカード類だけは、きわめて私的なものであるという理由で、閲覧はほとんど許されていない。

バルトが残したカード類は、一九四三年から八〇年に書かれて、ぜんぶで一三〇〇〇枚にのぼると言われている。その膨大なカードのなかで、ひときわ目立つ束になった三二〇枚のカードがあった。『喪の日記』とタイトルがつけられて日付順にならべられており、さらに五つの部分にわけられて小タイトルがつけられていた。内容は、一九七七年秋の母の死から二年間にわたって書きつづられた苦悩の日記であった。このカードの束は、このうえなく私的かつ内的であるために、イメックでの閲覧は当然ながら許されなかった。

ところが、その『喪の日記』が、二〇〇九年二月にパリのスイユ社から刊行されたのである。ミシェル・サルゼドとイメックが長い議論をかさねたすえに、出版する意義があると結論したからであった。また、バルト自身の死から三〇年近くがすぎて、プライヴァシーの問題が緩和されたということもあった。こうしてイメック学芸員のナタリー・レジェがカードを読み取り、転記をして、本のかたちに仕上げたのである。それまでは閲覧さえ認められていなかったカードが、はじめて、しかも本として、公開されたのだった。

悲しみをエクリチュールに

この『喪の日記』は、母の死の翌日である一九七七年一〇月二六日に書きはじめられて、約二年後の七九年九月一五日に突然に終えられている。カードはおおむね青のインクで書かれているが、黒のボールペンで走り書きされたり、鉛筆でなぐり書きされているものもある。乱れた文字からはバルトの苦悩や悲しみがにじみ出ている。しかし彼は、耐えがたい感情をまぎらわせるためだけに日記を書いたのではなかった。というのは、万年筆やボールペンで書かれたカードは、のちになって、鉛筆でところどころに訂正や加筆がなされているからである。また鉛筆で書きなぐられたカードは、逆に青いインクで字を直したり、語句を補ったりされている。このように日記を手直ししていったのは、それらの文章をのちに何らかの作品のなかで用いようという意図があったからではないかと考えられる。

『喪の日記』の一九七八年七月一三日と一四日そして八月三日の記述——あわせて一〇枚のカードになる——には、それぞれの冒頭に「喪」という言葉がしるされている。これもすべて、のちに鉛筆で加筆されたものである。日付のまえに言葉が書きくわえられたことによって、日記は「喪」というテーマのもとに集められた断章群のような雰囲気になってくる。いつの日か、べつの作品で「喪」について語るときにこれらの文章を用いようとひそかに準備していたかのようである。

したがって、『喪の日記』は苦悩を吐露しただけの日記ではない。もちろんバルトは、日記を書くことで言葉の力にすがって生きようとしていた。耐えがたい感情も、それを語ることによって耐えることができた。だが、感情を言葉によって客観化すること以上に、それを新たな作品へと結びつけてゆくことが重要であった。「この悲しみをエクリチュールに組みこむこと」と七八年三月二三日の日記にも書いているように。

写真の本

三二〇枚のカードは、バルト自身の手によって五つにわけられ、それぞれに小タイトルがつけられていた。「喪の日記　七七年一〇月二六日―七八年六月二一日」、「日記のつづき　七八年六月二四日―七八年一〇月二五日」、「七八年一〇月二六日―七九年九月一五日」、「日付なし」、「マムについてのメモ」の五つである。このような分割は、一九七八年六月末ごろからはじめられたようである。七八年六月二一日の日記をみると、「この喪の日記をはじめて読みかえした」とある。このときにバルトははじめて「喪の日記」という言葉を用いたのである。それまでは「メモ」にすぎなかったものを、あらためて「喪の日記」と意識し、とりあえずの句切りをつけようとしたのであろう。それからは、ときおり日記の整理分割をしていったようである。とはいえ、なぜ、七八年六月二一日という日に、句切りをつける必要があったのか。それは、バルトの「エクリチュールの計画」と大きくかかわっていたのである。

一九八〇年二月に刊行された作品『明るい部屋』によると、バルトは、「母の死後まもない一一月のある夜に」母の少女時代の写真を見つけたようである。それは、母の真の姿、生の価値をあらわす、奇跡のような写真であった。だが、その写真をまえにして、彼は「身動きできずに苦しむ」だけだった。「自分の苦しみを変換することができず、視線をそらすこともできない」のである。このころの『喪の日記』の記述のなかで写真について言及することもなかった。だが、七八年三月二三日になると突然に、「写真についての本に取りかかる自由な時間を早くみつけたい」としるしている。その文があることによって、バルトは五か月のあいだ、沈黙しつつも、ずっと写真の本のことを考えていたとわかるのである。

とはいえ、彼はまだ、本の具体的な構想の段階には入っていない。七八年四月一五日には「文学的回心」(訳註45)を経験して、「エクリチュールの道に入る」ことを決意するのだが、写真の本は具体化しないままであった。五月末ごろになってようやく新たなエクリチュールへの熱意が高まり、すこしずつ具体化していったようである。六月九日の日記には、「マムの写真の本がうまく書けますように」と教会で祈った、と書かれている。この日から、バルトは毎日のように、母の写真のことを日記に書くようになる。そして六月一五日には、「写真のエピソードをとおして、ほんとうの喪がはじまる」と書きとめる。第一の喪が不毛な苦悩の時間であったとすれば、第二の喪、「ほんとうの喪」とは、苦悩を作品に変えてゆく時間なのである。そのような思いで日記を読みかえしたバルトは、今こそ第二の喪に入り、写真の本の構想をまとめてゆくときだと考え、六月二一日で『喪の日記』第一部――すなわち第一の喪――を終えることにしたのであろう。

『明るい部屋』にむかって

「日記のつづき」に入った七八年六月二四日から、バルトは「写真についての本」のための構想カードを書きためていったようである。それらのカードには日付のないものが多いが、なかには日付入りのものもある。たとえば、『明るい部屋』の構想カードとされているもののなかに、「七八年六月二九日」の日付で「写真　それからマムへ　あるいは　喪」とはじまる一枚がある。これは、構想カードというよりは、『喪の日記』の一部のように見えなくもない。もともとは「日記のつづき」のなかのカードであったものが、のちに『明るい部屋』のカード群へ移動させられたのではないかという想像をさそいさえする。

一九七八年の八月末から、日記はほとんど書かれていない。この時期のバルトは、構想カード作りや、一二月からはじまるコレージュ・ド・フランスでの講義の準備、そして講演の原稿などで忙しかったからであろう。だが、そのころの仕事のなかには「エクリチュールの計画」がはっきりとみえている。たとえば、講義ノートのなかで写真について語った箇所があり、そこには『明るい部屋』の内容の粗削りなかたちが見てとれる。また講演の原稿では、新たなエクリチュールのための「新たな生」への意志を断言している。そうするうちに、母の死から一年めの日――七八年一〇月二五日――がやってきた。エクリチュールへの強まる思いとともに「日記のつづき」は閉じられる。

日記の「新たなつづき」に入ってからは、コレージュでの講義や毎週の雑誌連載（「クロニック」というコラム）のために自由な時間がとれず、彼は講義と連載とが終わる三月中旬を待ちわびていた。そして七九年三月一五日の日記で、一年半まえ――母の死の直後――からずっと考えていた「一冊の本」の計画を宣言し、ついに四月一五日に『明るい部屋』の執筆をはじめるのである。あの「文学的回心」からちょうど一年めの日であった。その日がめぐってくるのを待っていたのだろう。二か月近くのあいだ、日記も書かずに集中して執筆をつづけたバルトは、六月三日に『明るい部屋』を書き終えたのだった。

『新たな生』の計画

そのあと短いギリシア旅行に出かけたバルトは、六月一八日に帰国する。『明るい部屋』の刊行までは、まだ半年以上の時間があった。だが彼はすでに、つぎの作品のことを考えていた。七月二二日の日記には、「計画」のためにさまざまな模索をこころみたが失敗に終わったとしるしている。そして模索は夏じゅうつづいた。八月下旬から九月はじめにかけては、小説『新たな生』の構想をA4サイズの紙七枚に書きつけているし、それと並行して、八月二四日から九月半ばまでは日記的エッセー「パリの夜」も書いている。この「パリの夜」は、小説のなかに挿入されるために書かれた試験的な日記だったと考えられるふしもある。とにかく、七九年の夏のあいだは、バルトは小説の模索に集中していたのである。

それに反比例するように、『喪の日記』はだんだんと間遠になっていった。『明るい部屋』の原稿を書いていたときもそうだったが、バルトが綿密なエクリチュールの仕事をおこなっているときには『喪の日記』はおろそかになる。そして日記はとうとう九月一五日を最後に終えられてしまう。自然に消滅した、と言ったほうがいいのかもしれない。『喪の日記』は、その役目を終えたのである。バルトを不毛な喪から立ち上がらせて、彼が言葉へ、そして作品へと向かってゆく支えとなる、という役目を。

一九八〇年の二月には、バルトはふたたび待ちわびていたことであろう。コレージュでの授業が終わって自由な時間をもてるようになる日を。そして『新たな生』の執筆をはじめるために、また四月一五日がめぐってくるのを待っていたのかもしれない。だが彼は、交通事故がもとで三月二六日に亡くなった。そして、母アンリエットが眠るユルトの墓に葬られたのである。

翻訳について

訳者は、イメックにおいて『喪の日記』のカードを閲覧することができた。その結果、ナタリー・レジェが転記してスイユ社から刊行した単行本『喪の日記』の初版（ここではレジェ版とよぶことにする）と、バルト自身が書きしるしたカードの『喪の日記』（原カードとよぶ）とのあいだには、すくなからぬ異同があることがわかった。そのほとんどは、訳文が変わるほどの異同ではないのだが、翻訳はできるかぎりバルトの原カードに近いかたちにしたいと考えて、レジェ版をつぎのように変更した。

＊日記の「新たなつづき」のはじまる日が、レジェ版では一九七八年一〇月「二五日」になっているが、これは転記ミスである。原カードでは「二六日」である。また、原カードの枚数は、レジェ版に書かれている三三〇枚ではなく、三二〇枚である。

＊「日付のない断章」と「マムについてのメモ」は、日記とおなじように、話題や日付が変わるたびにカードも改められているのだが、レジェ版では異なるカードもおなじページに羅列して組まれている。そこで原カードにしたがって、ページを改めておいた。また、本書一三五ページと一三六ページも、原カードでは二枚に分けて書かれているが、レジェ版では一ページに収められていたので、改めておいた。

＊原カードでは一行空きになっているところがレジェ版では空けられていなかったり、逆に一行空きになっていないところが空けられていたりしているので、原カードに近い行空けにもどしておいた。

＊日付のまえの「喪」の語や、地名、その他の語の記述位置が移動している場合には、原カードの位置にもどしておいた。

＊文頭のダッシュが落ちている箇所には、つけておいた。また、下線（訳文では傍点）、大文字（訳文で

はカギ括弧）、引用符（訳文ではカギ括弧）などが異なっている箇所は訂正しておいた。

＊レジェ版では原註が三二か所につけられていたが、本訳書では採用せず、すべて訳註にあらためた。

『喪の日記』のカード群はバルトの手によって日付順にきちんと並べられていたが、三か所だけその順序が乱れているところがあった。「一九七八年三月二二日」が「三月二三日」の後に来ていることと、「一九七八年四月二一日」が「四月一二日」の直前にあること、「一九七八年七月二〇日」が二ページの「七月一八日」のあいだに置かれていることである。レジェ版では、原カードの乱れがそのまま保持されている。しかし、日付順に並べたほうが内容的には納得がゆくし、そもそもカード群のなかで数枚がどこかに紛れこむ偶然はよくあることである。したがって、三つのページをしかるべき場所に置きなおすことにした。

また、訳註のなかの引用文はすべて、訳文の統一をはかるために、わたしが訳出したものである。すでに日本語訳のある作品は参考にさせていただき、註の作品名のあとに訳者名をしるしておいた。

『喪の日記』の原カードをイメックで閲覧することができたのは、ロラン・バルトの弟子かつ友人だったエリック・マルティさんとイメックのナタリー・レジェさんとが取りはからってくださったおかげである。また、本訳書を仕上げることができたのは、さまざまな質問に答えてくださったパリ国立図書館のパトリック・ラムセイエさんと、バルト関係の訳書の編集をつねに担当してくださっているみすず書房の尾方邦雄さんのおかげである。心からお礼を申し上げます。

石川美子

著者略歴

(Roland Barthes, 1915-1980)

フランスの批評家・思想家．1953年に『零度のエクリチュール』を出版して以来，現代思想にかぎりない影響を与えつづけた．1975年に彼自身が分類した位相によれば，(1) サルトル，マルクス，ブレヒトの読解をつうじて生まれた演劇論，『現代社会の神話』(2) ソシュールの読解をつうじて生まれた『記号学の原理』『モードの体系』(3) ソレルス，クリステヴァ，デリダ，ラカンの読解をつうじて生まれた『S／Z』『サド，フーリエ，ロヨラ』『記号の国』(4) ニーチェの読解をつうじて生まれた『テクストの快楽』『ロラン・バルトによるロラン・バルト』などの著作がある．そして『恋愛のディスクール・断章』『明るい部屋』を出版したが，その直後，1980年2月25日に交通事故に遭い，3月26日に亡くなった．

訳者略歴

石川美子〈いしかわ・よしこ〉 1980年，京都大学文学部卒業．東京大学人文科学研究科博士課程を経て，1992年，パリ第VII大学で博士号取得．フランス文学専攻．現在，明治学院大学名誉教授．著書『自伝の時間――ひとはなぜ自伝を書くのか』(中央公論社)『旅のエクリチュール』(白水社)『青のパティニール 最初の風景画家』(みすず書房)『ロラン・バルト』(中公新書) ほか．訳書 モディアノ『サーカスが通る』(集英社) フェーヴル『ミシュレとルネサンス』(藤原書店)『記号の国』(ロラン・バルト著作集7，みすず書房)『新たな生のほうへ』(ロラン・バルト著作集10，みすず書房) バルト『零度のエクリチュール 新版』(みすず書房)『ロラン・バルトによるロラン・バルト』(みすず書房) マルティ他『ロラン・バルトの遺産』(共訳，みすず書房) フリゾン＝ロッシュ『結ばれたロープ』(みすず書房)．

ロラン・バルト　喪の日記
石川美子訳

2009年12月22日　初　版第1刷発行
2023年 5 月18日　新装版第1刷発行

発行所 株式会社 みすず書房
〒113-0033 東京都文京区本郷2丁目20-7
電話 03-3814-0131(営業) 03-3815-9181(編集)
www.msz.co.jp

本文印刷所 精興社
扉・表紙・カバー印刷所 リヒトプランニング
製本所 松岳社

Printed in Japan
ISBN 978-4-622-09624-5
[ロランバルトものにっき]